D0928839

le surveillant

gaétan brulotte

le surveillant

Quinze / prose entière

Collection dirigée par François Hébert

Illustration de la couverture : acrylique d'Yvette Froment

LES QUINZE, ÉDITEUR
(Division de Sogides Ltée)
955, rue Amherst, Montréal
H2L 3K4
tél. : (514) 523-1182

Distributeur exclusif pour le Canada :
AGENCE DE DISTRIBUTION POPULAIRE INC.
(Filiale de Sogides Ltée)
955, rue Amherst, Montréal
H2L 3K4
tél. : (514) 523-1182

Dépôt légal, 4e trimestre 1982
Bibliothèque nationale du Québec

ISBN 2-89026-310-X

Quatre de ces nouvelles ont remporté isolément des prix littéraires : *Le surveillant, Le balayeur, La voix secrète, L'indication.*

La nouvelle *Le surveillant* a déjà fait l'objet d'une adaptation théâtrale.

Six de ces récits ont été lus dans leur première version, par des comédiens professionnels à la radio de Radio-Canada: *Le surveillant, Le balayeur, L'indication, La voix secrète, Les Cadenas, En voiture!*

Quatre ont déjà été publiés, sous des formes différentes, dans des revues ou des journaux: *Le balayeur, Cage ouverte, La voix secrète, Les cadenas.*

Plusieurs de ces textes ont été lus par l'auteur lui-même dans des spectacles littéraires au Québec et dans des tournées de lectures publiques aux États-Unis.

L'ensemble du recueil s'est mérité le prix Adrienne-Choquette remis au Salon international du livre de Québec, sur manuscrit anonyme, par la Société des Écrivains canadiens de langue française.

Le surveillant

« C'est vrai:
Il faut un mur
Pour les lamentations

(...)

Pourquoi ne pas jouer
Ou tenter de jouer
Même avec la paroi

Quand jouer c'est guérir,
Aussi peu que ce soit. »

Guillevic, *Paroi*

Il faut surveiller le mur. Être constamment aux aguets. Ne jamais commettre d'erreur. Toujours garder la même distance entre les fondations et les pieds. Interdiction formelle de s'appuyer contre la surface de pierres. Et de mettre les mains dans les poches. Rester là, sans marcher, sans parler, sans fumer, sans rire, le fusil au poing, prêt à toute éventualité.

Voilà les ordres... Et les suivre à la lettre. Voilà un autre ordre. Et le suivre à la lettre. En voilà un autre... Bon, ça suffit.

Le jour de mon entrée en service, il fallait trouver une place en avant du mur, je veux dire une bonne place. Comment résoudre cette première difficulté ? Cette vieille construction en ruine a environ une vingtaine de mètres de longueur. Je pouvais me poster n'importe où, bien sûr, pourvu que ce fût près du mur et à une distance telle que je pusse le toucher au besoin. Mais il fallait un endroit stratégique pour exercer une surveillance efficace, c'est-à-dire à la fois protectrice et protégée. J'ai mis le temps et, compte tenu, d'une part, de l'étendue horizontale, de la hauteur, de l'épaisseur de cette pièce maçonnée, et, d'autre part, de la direction du vent, de sa vélocité estimée et du tropisme solaire, j'ai aussitôt trouvé. Ne me demandez pas comment exactement. À la fin de la journée, d'un coup de talon, j'avais déjà creusé à jamais mon empreinte dans le sable. J'avais marqué ma place : c'était pour moi la seule possible. Ainsi me suis-je établi auprès du mur. Ce choix judicieux m'a d'ailleurs valu des compliments de mon ancien chef.

Je travaille maintenant de cette manière. Je commence toujours par limiter mon champ d'action. C'est la bonne façon, je pense. Avant, j'oeuvrais tout différemment. Je me dispersais. Je voulais en aveugle suivre tous les chemins, tout brûler et rire. Ah ! comment devenir fou et feu, j'en détenais le secret, vous pouvez me croire. Ma clé ? S'éparpiller. La réponse à tout ? La flambée. Consumer et ensuite ricaner : il en résulte toujours quelque chose. À tout le moins le plaisir de traverser. « Voilà bien ta faiblesse, m'a dit un jour mon ancien chef. Tu veux être partout, et tu n'es nulle part. À l'avenir, contrôle ta respiration. »

J'ignore si j'ai bien compris, mais j'ai changé de méthode. Depuis, je me concentre sur mon souffle. Grâce à cette nouvelle technique, je suis devenu moins nerveux et je travaille mieux. C'est par ce moyen d'ailleurs que j'ai délimité rapidement mon aire de jeu auprès du mur.

Ai-je choisi le meilleur emplacement ? Il me semble. En tout cas le chef, l'ancien, à l'inspection du premier soir, n'a rien dit. Ce qui équivaut à des félicitations. Et aujourd'hui encore, après toutes ces années de garde ici, je ne regrette pas mon choix. Mais je n'en suis pas fier non plus. Je puis paraître indifférent, mais au fond j'essaie seulement d'être objectif.

* * *

On vient récemment de nommer un nouveau commandant, plus rigide, plus intransigeant que l'autre chez qui le temps et l'habitude avaient fini par insinuer, aux dires des autorités, une dose de mollesse bien évidemment inacceptable dans notre situation. À propos de mes coordonnées en regard du mur, mon supérieur actuel n'a, lui non plus, rien trouvé à redire.

* * *

Des fois, je me demande pourquoi j'ai passé toute ma vie ici. C'est le sort, sans doute. Je ne sais pas ce que cela veut dire exactement, mais ça me console un peu. Pourquoi n'ai-je pas quitté cet emploi, et pour quelles raisons encore aujourd'hui je ne me démets pas de mes fonctions ? Je ne peux pas. Ce serait dommage de laisser le mur. Il fait partie de ma vie maintenant : cette paroi en décrépitude, c'est un peu moi. En l'abandonnant, toute une section de mon être tomberait derrière. Certes, je partirais volontiers si j'avais la possibilité d'emmener tout avec moi. Mais a-t-on jamais entendu parler de quelqu'un qui pût emporter sa place avec lui ? Non, là vraiment, ça n'irait pas. Et de toute manière, je dois être satisfait de cet emploi, je présume, puisque je ne l'ai pas abandonné. Et lorsqu'on pense avoir trouvé une bonne planque, je ne vois pas pourquoi on n'y resterait pas.

D'ailleurs, j'aime mon mur. À force de le fréquenter, j'ai appris à le connaître. Le jour, imprégné de chaleur, dans la sécheresse éclatante de la lumière, il semble heureux de ma présence. Il m'accepte. C'est déjà ça.

Je dirais même mieux : derrière son apparence impassible, parfois des mouvements secrets l'animent. Il désire communiquer. Par moments, il veut, dirait-on, me toucher. Il s'étire alors comme un bras. Ou se durcit comme un sexe. Il m'appelle. Allez savoir ce qu'il veut. En tout cas, sous le soleil de midi, je sens en lui tout un monde impatient de contractions, de rage et d'explosions. Une bonne fois, je lui dirai : « Parle-moi. » Et il me parlera.

La nuit, c'est plus facile de nous rapprocher. Je me pousse davantage contre lui. J'aime fréquenter son odeur de cave et sentir, dans la froideur de son épiderme, monter une bienfaisante chaleur. Il vit : il dégage un certain souffle et, vers le soir, il ramollit. Ses fibres se détendent. Il dort. Je l'observe longuement, attentivement. Car même dans le sommeil, la conscience est ici aux aguets. Le danger ne survient-il pas surtout dans le noir ? Je préfère donc dormir un peu moins la nuit et somnoler un peu plus le jour, debout, sans que rien n'y paraisse. Question de bon sens.

J'ai tout loisir de contempler le mur, vous le comprenez bien. Je n'ai pas le droit de le laisser sans surveillance. Le nouveau chef, lui, croit que tout dépend de ce bout de rempart en ruine. Alors qu'en fait, tout repose sur moi, c'est évident. Qui surveille le mur ? Qui est toujours là ? Qui prévient les dangers ? Qui est continuellement paré à faire face à l'ennemi ? Qui attend ce qui peut arriver ? Qui est sans cesse sur le qui-vive pour qu'aucun incident ne se produise ? Oui, je vous le demande. Qui, sinon moi ? Enlevez le surveillant et le mur ne sert plus à rien. Oh ! je sais, le supérieur actuel a la réplique facile à cet argument : « Enlevez le mur, dit-il, et le surveillant devient inutile. » Piège logique classique auquel il aime nous prendre. Il ne faut pas s'y laisser entraîner. Voilà pourquoi je ne discute pas avec lui. J'ai ma petite idée et je la garde pour moi. Ou je la confie au mur, on peut se fier à lui, il connaît l'art de se taire (c'est ça la sagesse).

Le chef du moment, pour sa part, n'aime guère le silence. Aussi mon laconisme lui semble-t-il un signe d'hypocrisie. Il déteste le mystère. Il a toujours vécu, prétend-il, dans la clarté. Il contrôle le service de garde huit fois par jour maintenant. Il me reproche toutes sortes de vétilles : comme par exemple de chanter à l'ouvrage (c'est interdit) ou d'oublier d'enterrer mes déchets (c'est la consigne). Que voulez-vous, quand on travaille, on ne peut pas penser à tout. Une fois, il m'a surpris à rire sous cape, pour rien. Je devais rêver à quelque chose. Or, je dérogeais par là au règlement. Je ne prenais pas mon travail au sérieux. Il me semonça et me menaça de mise à pied. « Premier et dernier avertissement », affirma-t-il catégoriquement.

* * *

Depuis ce petit relâchement de ma part, le commandant a redoublé à mon égard les actes de contrôle. Il m'épie constamment de sa guérite avec ses lunettes d'approche. Il a même posté un certain nombre de collègues dans des endroits variés pour ficher mon comportement et dresser un rapport. Il croit sans doute que je ne m'en suis pas aperçu, mais je suis moins niais qu'il ne le pense.

De temps à autre d'ailleurs, il surgit à l'improviste pour vérifier si je remplis mon devoir à la perfection et pour m'éprouver. Ainsi, un soir, à l'heure équivoque du crépuscule (et il a choisi ce moment intentionnellement), il vint du quartier général accompagné d'un homme en civil. Je les ai tout de suite très bien repérés tous les deux, malgré les problèmes de mirage et de vision à ce moment-seuil de la journée. « Qui vive ? » dis-je aussitôt, selon les ordres stricts. « C'est moi, Pim, ton frère », répondit la personne déguisée. « Qui vive ? » répétai-je. « C'est moi, ton frère, insista l'autre, je viens te rendre visite. » Vous imaginez bien que j'avais vu le jeu. Le chef l'avait sans doute enjoint de ne pas dire expressément le mot de passe, voire ne lui avait pas du tout parlé de son existence et de son importance. Comme ça, méchamment, et juste pour voir ce qui allait se passer, pour vérifier si j'allais faiblir. J'actionnai le chien de mon fusil avec fracas, pour que le faux frère comprît, et je mis en joue, le doigt sur la détente. « Identifiez-vous ! hurlai-je en guise d'ultimatum, ou je tire. » Il y eut un long silence. Dans le champ restreint de mon point de mire, l'homme continuait d'avancer. J'avais envie de lui conseiller de rebrousser chemin. J'ai pensé, même, blaguer un moment. Mais le supérieur, à l'écart sur la droite, surveillait la scène. L'étranger qui l'accompagnait parla : « C'est moi, Pim, ton frère, dit-il, je t'apporte un cadeau de la famille et aussi de quoi manger. » J'ai failli m'attendrir. Il arrive qu'on finisse par se laisser aller et qu'on se surprenne à penser. Il faut éviter ça. Rien n'empêche cependant de conserver une certaine dignité. Il suffit de fermer les yeux sur quelques petites choses. Et d'accomplir son métier consciencieusement. De toute façon, pendant que je travaille, je ne peux pas penser. Le problème se règle tout seul. Je n'ai pas le droit de laisser mon mur en menace. Je n'ai pas le droit de croire que tout ce sable m'est étranger et ne fait pas partie de ma peau. Ce soir-là, j'entendais le crissement des pas de celui qui se prétendait mon frère. Je distinguais plus ou moins son corps tendu dans le troublant clair-obscur du crépuscule. Je sentais mes veines battre à mes tempes, mes épaules se détendre, mes jambes fléchir, tout mon être se ramollir. C'est absurde, me dis-je. Je tremblais. Mais soudain, je devinai la tache noire du commandant au bout de mon regard. Alors tout se redressa brusquement. Mon souffle doubla d'ardeur, mon dos se raidit, mon oeil se durcit et mon doigt se crispa sur la détente. Un bruit sec et sifflant venait de secouer la sombre tranquillité du mur et l'innocence du couchant. Le coup fut si rapide que je ne l'entendis qu'en imagination et sans y croire vraiment. La silhouette du civil se tordit et s'écroula dans un vacarme de gamelles. J'ai compris que je venais de produire là un geste héroïque. Rien à signaler, chef. Tout est dans l'ordre, chef. Je n'ai pas eu à dîner ce soir-là.

* * *

Un autre jour, quelqu'un se manifesta derrière le rempart — c'était peut-être encore une ruse de mon nouveau supérieur. Des ennemis silencieux devaient se cacher de l'autre côté de la construction puisqu'un caillou tomba tout près de moi, comme si on avait voulu m'atteindre. Le projectile s'était bêtement enfoncé là, à deux pas, dans le sable, de tout son poids.

Bien sûr, j'avais senti le piège. On n'allait pas me faire le coup à moi. On voulait tout simplement distraire mon attention. C'était l'évidence. Tout de même, on n'a pas si facilement quelqu'un de mon expérience. Aussi cet objet insignifiant ne m'en a-t-il pas imposé longtemps. À peine me suis-je retourné en sursaut — le temps du réflexe, quoi. Il va sans dire, je ne l'ai pas ramassé. Là résidait sans doute le but de leur stratégie : c'est-à-dire que tout mon esprit se centre là-dessus. L'embûche classique en un mot. Ils ne m'ont pas eu. Je suis donc demeuré immobile. Pourquoi bouger puisque j'avais choisi depuis toujours la meilleure place ? Et ma réaction dut assurément les déconcerter. De cette manière tout à fait inattendue, j'ai gardé le contrôle complet de la situation. Ils ont immédiatement compris à qui ils avaient affaire. Ruse du chef ou sonde ennemie ? Peu importe, ils ont jaugé ma force et ont rebroussé chemin. Car il n'est plus tombé de cailloux.

Voilà comment je suis au travail : intraitable. C'est la seule façon de réussir. Et le fait d'obtenir de tels résultats suffit à prouver que j'ai raison. Question de bon sens.

* * *

À quoi sert ce mur, me demandera-t-on ? De rempart, de clôture, de brise-vent ? A-t-il pour fonction de protéger, de défendre, d'arrêter, de ralentir, de cacher, de contenir, de circonscrire, de détourner ? Ou s'agit-il tout simplement de leurrer ? D'y occuper des hommes ? Bien d'autres se sont interrogés là-dessus. Le démontre cette espèce de réponse, s'il en faut une, inscrite sur un pan de la paroi par l'ancien garde, il y a de cela plus de vingt-cinq ans : « Je ne sers à rien. » Il reste à savoir qui est ce *je* : le mur ou le surveillant ? Car il y a de ces gens, c'est bien connu, qui veulent à tout prix se sentir utiles. Peut-être mon prédécesseur se rangeait-il dans cette catégorie ? Quoi qu'il en soit, on n'a pas à soulever ces interrogations. Le mur existe. Il faut le surveiller. Ne serait-ce que pour commémorer le courage de ces sentinelles qui ont passé leur vie près de lui. Aurait-il alors office de monument ? Faut-il ne voir rien d'autre dans cette muraille chancelante qu'une sorte d'énorme tableau d'honneur inutile ? Se pourrait-il que cette élévation de pierres délabrée n'ait pas de sens finalement ? C'est impossible. Il y a toujours du sens, dit le chef. Il faut un mur. Et les murs justifient les moyens.

Cette parole m'a permis de tenir le coup pendant plus d'un quart de siècle. Je suis comme ça. Un rien m'encourage. Une bagatelle me transforme. Une futilité parvient à orienter tout le cours de ma vie.

C'est ce qui m'est arrivé lorsque j'ai commencé à écrire ce texte. Je n'avais pas aimé la soupe un soir, et je me suis laissé aller à moi-même.

* * *

Voilà. Maintenant tout est joué. J'ai perdu ou gagné, qui le saura, tout dépend du point de vue. En effet, le chef vient de me surprendre en flagrant délit d'insignifiance. Je ne l'ai pas entendu venir. Rampait-il le long du mur, silencieusement ? Il en est bien capable. Il est survenu, ce midi, à un moment vraiment inattendu, et où, pour la seconde fois de toute ma carrière, je ne surveillais pas le mur. Je ne m'en étais pas aperçu. Avais-je glissé insensiblement de la veille au rêve ? On passe ainsi parfois d'un état à l'autre sans s'en rendre compte et sans qu'on sache pourquoi. Quand on exerce un métier comme le mien, c'est bien évidemment impardonnable. J'aimerais donc insister sur le fait que je n'ai aucune indulgence envers moi-même. Mon supérieur m'a pris en défaut au travail : dans ces conditions, j'ai tous les torts et il a raison de sévir. Mon exemple servira à mes collègues.

Je reconstitue ici, tant bien que mal, la brève altercation que nous avons eue, le commandant et moi, à cet instant malheureux où je rêvassais, la tête penchée sur mon bloc-notes et le stylo à la main — au lieu du fusil.

« Qu'est-ce que vous faites ? » me dit-il soudain d'un ton péremptoire.

Je sursautai violemment et lui répondis sur-le-champ, en me redressant :

« Rien à signaler, chef ! »

« Et ça ? » répliqua-t-il en montrant du doigt mon carnet et mon crayon que j'essayais bien vainement de cacher.

Comme j'hésitais à lui dire la vérité, il m'enjoignit de justifier tout de suite ce matériel inhabituel et mes activités bizarres.

« Eh bien, chef, dis-je en optant pour la naïveté, je prenais tout simplement des notes. »

En fait, j'écrivais le texte qui précède. J'avais envie de le rédiger. Je ne sais trop pourquoi.

« Et le mur ? » rétorqua-t-il avec colère.

Il avait raison. Mais qui n'a pas raison ? Je rangeai mes instruments d'écriture dans ma poche pour continuer de travailler. Je ne croyais pas vraiment m'en tirer aussi facilement. Cependant j'étais loin de prévoir le retentissement démesuré de cette faute et loin également de savoir le chef si exagérément vétilleux. Certes je m'attendais à une punition, mais pas au châtiment radical que j'ai dû subir.

« Et qu'est-ce que vous écriviez ? » poursuivit-il.

« J'ai commencé mes mémoires, chef », lui avouai-je.

« Vos mémoires ? » hurla-t-il avec étonnement, mais avec aussi un très net soupçon de mépris.

« Oui, mes mémoires », dis-je avec un mélange de fierté et de crainte car je ne pouvais plus prévoir sa réaction.

« Et où en êtes-vous ? » continua-t-il moqueusement.

« Au mur », lui dis-je.

« Au mur, *chef* », insista-t-il avec une pointe d'insolence.

« Au mur, *chef* », répétai-je.

Un long silence suivit. Il écarta les jambes, croisa les bras et me fixa. Je ne savais où regarder. Je roulai un oeil vers la crête du mur. Je me pris à souhaiter qu'arrivât un ennemi pour mettre fin à cette situation embarrassante.

« Pourquoi pas un *roman* sur le mur, tant qu'à y être ? » dit-il en souriant, comme s'il paraissait profondément irrité de mon initiative. Son ton de silex n'appelait pas de réponse.

« Vous savez bien, reprit-il de sa voix calme et autoritaire, que vous n'avez absolument pas le droit de vous amuser pendant que vous travaillez et de laisser ce point sans surveillance. Un instant d'inattention et tout peut être perdu. Vous occupez un poste qui exige de son titulaire un sens aigu de la responsabilité. La vie de plusieurs personnes repose entre ses mains. Celles-ci doivent, vous le comprenez bien, être d'un métal sûr. Au début, vous me paraissiez un employé exemplaire. Le mur, sous votre garde, se tenait debout. Il avait, comme on dit, un certain panache. Vous lui donniez un je ne sais quoi de plus. Nous étions fiers de vous. D'ailleurs aucune tache à signaler dans votre dossier. Il faut dire cependant que mon prédécesseur ne manifestait peut-être pas toujours toute l'énergie nécessaire. Vous avez sans doute été habitué à plus de facilité et de relâchement. Je vous avais pourtant averti la dernière fois que je vous ai surpris à rêvasser à l'ouvrage. La garde de cette vieille construction n'est pas destinée aux rêveurs. Il faut des aptitudes très particulières pour tenir le coup ici. C'est un lieu stratégique. Votre négligence peut faire croire aux autres que ce bout de mur perdu dans cette région déserte n'a pas de sens. Rien donc de plus dangereux que la désinvolture dans la vigilance. Ainsi, pour des raisons fondamentales de sécurité et aussi pour que votre erreur serve d'exemple, vous nous voyez dans l'obligation, vous le comprenez j'en suis persuadé, de vous démettre de vos fonctions. Vous pleurerez la perte de votre travail, mon ami, nous en sommes assurés. Vous regretterez le mur et l'honneur qui se rattache à sa surveillance, vous saurez nous le dire. Tous les hommes ici envient votre place. Nous ne manquons pas de remplaçants bien formés et disciplinés. Vous savez tout cela probablement. »

Il continua sur ce ton pendant plusieurs minutes. Ensuite un long silence s'installa de nouveau. Puis brusquement, pour clore en guillotine son monologue, il ajouta : « Votre renvoi prend effet demain à l'aube. »

Et il partit.

À quoi bon répliquer ? Il suffisait maintenant de contrôler sa respiration : car c'était peut-être encore une ruse du chef pour vérifier si je pouvais garder mon sang-froid dans une situation limite. J'aurais pu me jeter à ses genoux pour le supplier de me pardonner, de me permettre de réparer, de me donner une dernière chance pour regagner sa confiance et celle du groupe. J'ai choisi de montrer de la retenue. Il m'a tourné le dos d'une manière décidée, sans même me saluer, sans non plus me dire adieu. Mes mémoires venaient de tourner court.

* * *

J'ai passé un bon moment à me convaincre de la réalité de mon renvoi. Et assez vite j'en ai accepté forcément l'idée, et avec beaucoup de renonciation. Je vis ma dernière nuit auprès du mur en essayant de revoir tous les grands moments que j'ai connus en sa compagnie, et, en particulier, les tout récents : mon héroïsme dans l'histoire de mon soi-disant frère, ma victoire sur le caillou et enfin cette dernière défaite attribuable tout compte fait à l'écriture. Je consacre quelque temps à graver sur la muraille cette inscription, pour me déculpabiliser, comme si je rédigeais mon épitaphe : «Je suis contre ceux qui écrivent sur les murs.» J'aimerais la copier cent fois, comme les punitions de la petite école.

Me voici un peu avant l'aube et je pense au scorpion : dans une situation désespérée, il préfère se tuer lui-même plutôt que de se livrer. Alors je comprends que je peux bien ramener le sable sur moi, me cacher en lui et rester ainsi pour toujours, sans qu'on ne pense jamais à m'y chercher. J'ai droit à tout ce sable chaud. Car au fond, à qui est-il, qui est-il ? Ils croiront que je suis parti et me laisseront en paix avec mon mur, avec moi-même. Comme ça. Voilà. C'est si simple. Ce sera tout noir. Je n'en demande pas plus. Être soi-même la nuit où il n'y a plus de mots. Les yeux ne voient plus. Le corps ne reçoit plus les coups du dehors, le bombardement des lumières. Il devient étranger aux atteintes extérieures. Il se retire dans sa coque, ferme ses sphincters, arrête ses grandes eaux (sa sueur, son urine, sa salive, ses mots). Comme ça. Voilà. La paix. Plus de chef, plus de désir. C'est si simple. J'ai trouvé. On trouve toujours. Et on découvrira peut-être, tout contre les fondations, comme si elles en faisaient partie, mes pages coupables noircies d'encre.

Le balayeur

(Maldoror au fossoyeur) « ...il est inutile de creuser la fosse davantage. Maintenant déshabille-moi ; puis tu me mettras dedans ».

Lautréamont, *Les Chants de Maldoror*

C'est parti. La moto file, brillante de tous ses chromes dans la rue, elle se grise de vitesse, elle vole presque, comme libre de sa pesanteur, en un défi euphorique lancé à la lourdeur du ciel bas.

Les bureaux viennent à peine de fermer, les magasins sont encore ouverts. Les passants ont l'air affairé en cette fin d'après-midi d'automne. Le temps s'assombrit. Les nuages grondent. Le vent pivote sur ses pentures. Les frondaisons s'affolent. Les feuilles s'éparpillent. Le monde semble soudain chargé de sens.

Feu rouge. Stop. À la ligne d'arrêt, la moto, en bas régime, s'impatiente. Elle trépigne par grognements saccadés. Comme si elle pestait contre les embarras citadins.

Vert. Allons-y. Le moteur s'ouvre à pleins gaz. Son grommellement devient fulmination. Le bruit de cette explosion de rage atteint vite son maximum d'intensité. La rue, activée par le clignotement des enseignes au néon et déjà illuminée de toutes ses parois de vitrines, aspire, d'un mouvement uniforme, les autos par masses. Parmi ce lent troupeau, la moto, elle, se faufile, agile, légère, aérienne. Elle va, rapide pégase indompté, caracolant au milieu de la chaussée, refusant d'être mise au pas. À chaque dépassement, elle paraît plus sauvage et plus triomphante. Elle défie les règlements affichés sur les panneaux de la ville et les indications de ses propres cadrans. Plus elle précipite sa fuite, plus ses tuyaux d'échappement crachent à pleins feux dans une pétarade d'étincelles, eh bien plus elle répand autour d'elle et dans son sillage une vibrante saveur d'élévation.

En accélérant, le pilote efface en partie les déterminismes terrestres, oublie l'écrasement plat des choses et leur insignifiant destin de gravité pour goûter à la joie de l'ascension. Son corps épouse la machine : un sentiment de puissance le soulève, le bruit lui donne des ailes, le moi et le moteur fusionnent et deviennent tout entiers un seul et même impressionnant déploiement d'énergie. Les limites du monde semblent s'estomper et, les cheveux battant tel un drapeau, le motocycliste a l'impression de conquérir l'univers, de le mener au bout de ses doigts. En maniant une poignée d'admission, un levier d'embrayage et un sélecteur de vitesses, il devient soudain comme les dieux des anciennes mythologies qui, d'un simple geste, libéraient le tonnerre et le vent. Du haut de cette domination, il mesure aussi, distraitement, toute la fragilité des oeuvres humaines : son oeil, soûlé de vélocité, oublie aussitôt tout ce qu'il réussit à entrevoir. Le paysage urbain lui apparaît comme un décor de toile et de carton dressé pour une minute étourdie, celle-là même de son passage amnésique. Des façades théâtrales prêtes au démontage défilent de chaque côté et s'enfouissent dans le passé si éphémère du rétroviseur, avant de finalement disparaître par lampées brusques à chaque nouvelle gorgée d'air frais.

Ah ! la volupté de la vitesse ! Aller toujours plus vite pour explorer les capacités d'une force aussi élémentaire que celle d'un moteur ! C'est si tentant d'accélérer puisqu'en vivant continuellement dans le risque, le pilote s'habitue aux proximités dangereuses et jauge d'un regard désinvolte les éventuels rétrécissements de l'espace. La moto court maintenant à tous gaz et double un dernier train de voitures pour parvenir en trombe à un croisement où la voie, devant, semble plus dégagée.

Mais soudain un long coup d'avertisseur déchire le sourd et industrieux grondement de la rue. Crissement de freins. Grand vacarme de collision. Fracas de verre cassé. Tout se passe avec une célérité brouillonne.

Puis rien ne va plus. Tout s'arrête.

Ici et là quelques êtres falots restent figés sur place, comme cousus, telles des poupées, dans des sacs de moleskine, et observent, empesés, le spectacle. C'est vite arrivé, vous savez, un accident. On ne parvient pas à comprendre comment ces choses adviennent. C'est toujours comme ça.

Rien ne va plus.

Icare a perdu ses ailes. Dérapage, embardée, le cheval métallique, en voulant éviter un piéton, a produit un écart, a tamponné une auto et a rebondi, en un éclair de chrome, contre un lampadaire. Quant au héros des airs, il a été projeté au loin : il s'est écrasé sur le pavé, dans le caniveau, près d'une bouche d'égout, la partie inférieure du corps complètement brisée. Le réel reprend abruptement toute sa cruelle solidité et réinstaure ses lois.

La tête échevelée et ensanglantée du motocycliste remue encore cependant, mais lourdement. Peu à peu, tout redevient comme avant. Les badauds continuent de lécher les vitrines et passent sans remarquer. La circulation reprend avec, au carrefour, cette alternance réglée des coups de freins et des accélérations. Les voitures manoeuvrent habilement pour éviter le corps du blessé, mais malgré toutes ces précautions, quelques-unes viennent rouler inévitablement sur ce qui lui reste de jambes. La moto cassée nuisant, on l'a rangée bientôt à côté de la voie. Les gens font ce qu'ils peuvent. On n'a vraiment rien à leur reprocher. Il ne faut tout de même pas trop leur en demander. À cette heure, les bureaux ferment. On est pressé d'achever ses courses et de rentrer chez soi. C'est bien normal. On en a assez du travail de la journée. On n'a pas le temps ni l'envie ni l'énergie de s'impliquer dans une histoire.

Le gisant lève les yeux et, dans un effort ultime, en se traînant dans son sang, tente de se hisser sur le trottoir, car, il s'en est bien rendu compte, il nuit à la circulation. On a beau dire, la conscience sociale, ça existe, même au coeur de la plus grande panique intérieure.

La vague odeur d'essence répandue dans la rue par la chute du deux-roues ne semble pas importuner les passants. C'est toujours cela de gagné.

Mais soudain la situation se gâte. Le ciel, couvert toute la journée, se déboutonne petit à petit et, comme s'il s'agissait là d'un signal attendu, la voûte entière s'éventre et la grande averse inonde brusquement le paysage. Les gouttes tombent par milliers, par millions. Des grains durs et blancs. La météo le prévoyait. Une pluie froide mêlée de grêle. Elle surprend surtout les piétons, dont elle pince le visage. Elle réjouit les marchands, car les acheteurs affluent dans les magasins pour se protéger. Les essuie-glace des voitures commencent à grincer. Les moteurs s'impatientent au feu rouge.

Le mourant, lui, pique du nez dans l'asphalte et essaie de nouveau d'enlever son corps encombrant de la voie publique. Vainement. Il ne peut pas bouger. Son arrière-train flasque adhère au sol comme de la peau sur du métal gelé. À bout de forces, il lève encore la tête et ouvre la bouche pour appeler ou pour reprendre son souffle.

Vert. Allons-y. Le vrombissement de la circulation recommence. On klaxonne de furie contre cette chose dans la rue qu'on prend pour un clochard. On l'invective. On lui crie de libérer le chemin. Sa voix veut répondre, mais ne produit aucun son.

* * *

Brusquement, une modification d'atmosphère s'opère à cause de ce regard braqué sur moi maintenant : une chaleur subite monte, dirait-on, tout autour. Cette masse de viande démantibulée me dévisage, mais avec une étrange douceur de supplication. J'avoue que cet oeil en détresse, et pour cette raison puissant, m'intimide un peu (la souffrance, on a beau dire, est un pouvoir). Et comme il ne me quitte pas un seul instant, il m'oblige forcément à réagir. Je baisse les yeux et je continue de balayer. J'effectue mon travail du mieux que je peux. Le patron a rarement quelque chose à redire là-dessus. Un court moment, j'ai la faiblesse de considérer encore une fois le moribond, du coin de la paupière. Sa prunelle, vacillant au bord de l'inconscience, devient implorante. Mais je n'y peux rien, moi ! Il m'empêche de faire mon boulot ! Et si le patron venait à passer ? J'imagine déjà sa colère. « Balayez-moi tout ça ! C'est un ordre. Qu'attendez-vous ? Que je vous rapporte aux autorités ? »

Avant, à mes débuts dans le métier, je ne dis pas, j'aurais pu commettre une erreur. On me l'aurait assurément pardonnée en l'imputant à l'inexpérience. Avant, j'aurais pu passer à côté, j'aurais pu faire mine de ne pas le voir. Mais aujourd'hui, il ne m'est tout de même pas possible de l'ignorer.

« Balayez-moi tout ça ! C'est un ordre. » J'ai de l'expérience. J'ai la confiance du patron maintenant. Alors il faut nettoyer tout. Et rien de plus simple quand on a, comme moi, du métier. Il s'agit d'abord d'ouvrir la grille de l'égout et ensuite avec le balai, tenu énergiquement, comme pour enlever une énorme masse de gomme, le manche coincé sous l'aisselle pour en former un levier solide, et au besoin en s'aidant du pied, il s'agit, dis-je, de pousser la chose dans le trou. Voilà. Après, il suffit de passer quelques coups de faisceau de paille sur les restes avec un peu d'eau. Et rien n'y paraît. Tout est question de technique. Avant, j'aurais probablement raté mon coup. Aujourd'hui, j'ai atteint une certaine perfection dans mon travail. Je ne sais rien de plus, mais je le sais bien. J'ai ma carte de compétence. Rien ne vaut l'expérience dans un métier : c'est une chose qui ne s'achète pas. Demandez au patron.

Atelier 96 sur les généralités

Monsieur Rossi préside comme à l'accoutumée cette réunion et mademoiselle Berg se désigne pour prendre les notes des délibérations. Quelqu'un s'oppose, en brandissant un principe d'égalité, à ce que ce soit une femme qui agisse comme secrétaire. On suggère alors monsieur Stack. Celui-ci accepte pourvu qu'on soit indulgent à son égard étant donné son inexpérience, indulgence qu'on lui accorde d'emblée avec bon coeur.

* * *

Le président amorce la soirée efficacement en lisant en vitesse le bref rapport de la Commission d'étude sur les objectifs généraux. Il en propose l'adoption. Cette proposition reçoit l'assentiment unanime. Après lecture rapide, nous entérinons également le procès-verbal de la dernière réunion.

Le président annonce qu'un nouveau tour de salle sera effectué suite à nos entreprises antérieures et cela afin de sonder d'une manière plus précise l'opinion des membres présents sur les objectifs à poursuivre par notre association.

La parole est remise à l'assemblée. Chacun peut exprimer son point de vue, dit le président, à condition de ne pas être trop long (il place sa montre sur la table), à condition de ne pas sortir du sujet, à condition de lever la main et de s'inscrire avant de prendre la parole, à condition de parler dans l'ordre et chacun son tour, à condition de... (quelques éléments de procédure manquent).

La séance est ouverte.

Un long silence s'installe dans l'assemblée.

Sur l'insistance du président, madame Kegg produit l'effort inaugural avec beaucoup de simplicité, en faisant apporter une correction de taille au dernier *hansard* officiel de la société, à la page 5079, sixième ligne du premier paragraphe. Il faudrait lire : « Association pour l'iléite et la colite » et non « Association pour l'élite ». Madame Lucie Wyck soulève le problème de la répétition dans nos réunions. Elle recommande de supprimer ce qui peut contribuer à créer cette impression de répétition.

Monsieur Tarb répond que la répétition dont parle madame Lucie n'est qu'apparente en fait. Les nombreuses assemblées du Comité spécial aux objectifs pour l'établissement de l'orientation générale qu'il présidait ont démontré avec évidence que la répétition n'apparaissait pas comme une de nos constantes.

Madame Wyck prie l'assemblée, en s'adressant au président, de ne pas l'appeler madame Lucie. Elle s'est expliquée déjà plusieurs fois là-dessus. Cette forme de dénomination convient aux patronnes de maisons closes et lui semble irrespectueuse.

En réponse à des mouvements dans la salle contre cette susceptibilité jugée excessive, le président en appelle au calme et demande qu'on respecte le désir de madame Wyck.

Monsieur Poquey intervient d'une manière enflammée contre la suppression éventuelle du café et des gâteaux aux réunions. Il insiste sur la nécessité de maintenir une tradition de services minimaux pour assurer à nos rencontres leur pleine efficacité. La présence des membres, leur degré d'attention aux problèmes, leur bonne volonté dans l'action de notre cercle peuvent tenir, selon lui, à ce genre de soins qui font partie de la qualité de la vie.

Le président dérange l'ordre des intervenants déjà inscrits pour demander à Madame Cobb, l'hôtesse de la soirée, d'éclairer monsieur Poquey tout de suite là-dessus. Madame Cobb dit qu'il n'a jamais été question, à sa connaissance, de supprimer la collation.

Monsieur Poquey réplique qu'il avait cru entendre cela dans le corridor avant la réunion. Il se montre rassuré par les propos de madame Cobb et invite celle-ci, par conséquent, à procéder au service.

Madame Finn, en invoquant l'égalité encore une fois, s'oppose à ce que ce soit une femme qui joue le rôle de l'hôtesse. Madame Cobb proteste qu'elle aime bien cela pourtant. Mais on propose monsieur Poquey. Pendant que celui-ci sert le café, le tour de salle bat son plein.

Monsieur Janet estime, en tant que fondateur de l'association, que cette soirée est la plus déterminante de notre histoire : notre existence collective paraît de plus en plus en jeu et si nous ne prenons pas les choses vraiment au sérieux, nous allons devoir dissoudre la corporation. Il menace l'assemblée de lire les innombrables papiers qu'il a apportés et qui débordent sur les tables voisines. Mais il ne s'exécute pas, les regards lui paraissant trop désapprobateurs. Il effectue seulement un survol rapide des réflexions soulevées par la Commission d'étude des objectifs généraux. Ces remarques font ressortir la nécessité d'une concertation pour définir l'orientation de notre groupe. Plusieurs tentatives d'approche ont été faites auprès de différents intervenants dans nos nombreux comités sur les objectifs spécifiques, mais tout au plus pointent-elles une disponibilité pour ébaucher une articulation à ce sujet. L'actuelle assemblée demeure le lieu privilégié pour enclencher tout mouvement global d'entente.

Monsieur Thub pose une interrogation à savoir s'il faudrait concrètement compiler la totalité des initiatives esquissées jusqu'ici dans les divers comités où l'on voit poindre un effort de constitution. Ne devrions-nous pas rassembler tous les éléments préalables afin de définir nos objectifs, généraux et spécifiques ? Il avance l'opinion que la visée première à court terme, et à vrai dire dans l'immédiat, pourrait être effectivement de regrouper toutes les données dans le temps et dans l'espace, et d'aller chercher pour cela le soutien des pouvoirs publics et des organismes sociaux. Cette démarche aurait le mérite de rendre possible une alternative et nous mettrait sur la voie d'effets plus probants. Avec les ressources regroupées et offertes à une éventuelle action concertée, nous pourrions sans doute amplifier l'impact de notre intervention au niveau de l'établissement des objectifs généraux.

Monsieur Tarb rappelle que le désir d'un soutien externe ne saurait être donné comme un objectif général.

On entend monsieur Tromb qui croque des tranches de bananes séchées à même un grand sac transparent. Comme tous les regards se tournent vers lui, il en offre à ses voisins en rougissant des doigts. Madame Finn se plaint du travail de monsieur Poquey. Elle n'a pas encore eu de café. Monsieur Poquey dit qu'il essaie de servir les gens dans l'ordre de leur disposition dans la salle.

Le président revient à la charge pour reposer les deux perspectives entre lesquelles nous devons choisir : une orientation plus fermée ou une orientation plus ouverte de notre société. L'association est à un tournant capital de son histoire : jamais elle ne s'est vu confrontée à un tel dilemme. Et nous avons la possibilité aujourd'hui de l'envisager ensemble avec calme, de réfléchir à cette situation, de mesurer son ampleur et de trouver une solution. Il y a là un problème, dit-il, et même des problèmes graves. Nous devons tous ensemble, et d'un commun accord, décider vers quelle voie d'avenir nous irons.

Il griffonne pour finir des statistiques au tableau noir, derrière lui. Ces chiffres montrent que le nombre de nos membres baisse d'année en année. Nous ne sommes plus que soixante-neuf.

Monsieur Seil lance en riant une blague concernant le caractère plutôt érotique de ce chiffre.

Monsieur Brodsky, sans rire, fait part de son décodage savant: le six est le nombre symbolique de l'épreuve et le neuf exprime la fin d'un cycle, l'achèvement d'une course, la fermeture de la boucle. Ce chiffre, d'après lui, augure fort mal.

Monsieur Renoti, le doigt levé, prévient l'assemblée de ne pas trop tenir compte des membres et de leur quantité. Cela signifie moins qu'on ne le croit.

Madame Cobb propose, du bout de la pensée, dit-elle, tellement elle se sent mise à l'écart au fond de la salle, de créer une commission chargée d'étudier les moyens pour défendre les intérêts de notre guilde (c'est son mot) et pour examiner les formes de promotion possibles auprès du grand public. Cette commission veillerait spécifiquement à établir des formules de recrutement et des modèles de publicité. Elle souhaiterait y prendre une part active.

Le président rappelle que nous travaillons à déterminer nos objectifs généraux. La discussion porte sur ce point précis et sur rien d'autre. Il a donné des chiffres uniquement pour que nous tenions compte de l'évolution de la situation dans l'expression de nos points de vue.

Madame Vendler pense, contrairement à monsieur Renoti, que nous devons surveiller de près le nombre des membres. C'est capital.

Madame Grave tient à ce que les anciens objectifs, c'est-à-dire les actuels, soient maintenus. Elle les a proposés, affirme-t-elle, il y a quelque temps avant de partir en retraite de maternité et elle aimerait maintenant avoir la chance d'expérimenter leurs effets si on les poursuivait vraiment.

Le président ramène la discussion sur les objectifs généraux à donner à notre société. Les objectifs dont vient de parler madame Grave sont des objectifs spécifiques très partiels en cours de complète révision.

Madame Kegg évoque l'interdiction de fumer qui a été votée antérieurement, page 256 de nos minutes, et qui figure à l'article 5 tiret 1 point 2 de nos règlements de régie interne.

Par conséquent, le président demande aux fumeurs d'éteindre ou de se retirer.

Monsieur Thub, en frappant du poing sur la table, déclare que nous ne sommes pas une assemblée délibérative, mais consultative, et que nous n'avons pas de pouvoirs, ceux-ci ayant été remis par vote aux mains du conseil exécutif de la compagnie.

Le président conteste cela et affirme que nous avons des pouvoirs. Il relance le débat.

Monsieur Tarb reprend. Il souligne que le nombre des membres ne constitue qu'un élément de la réévaluation de nos objectifs généraux et qu'il ne faut pas le surestimer.

Monsieur Tytell avance les arguments suivants : de multiples rencontres ont eu lieu jusqu'à maintenant au sujet des objectifs de notre club *(sic)* ; la participation a été inégale d'une réunion à l'autre ; la compréhension de notre rôle n'est guère plus développée qu'à la même date l'an dernier. Il entend proposer que la ronde des réunions s'arrête enfin et qu'on laisse provisoirement la question en suspens.

Le président dit comprendre cette impatience. Cependant on ne peut pas passer à l'action tant et aussi longtemps que nos objectifs ne sont pas redéfinis clairement.

Monsieur Tytell réplique que nous consacrons toutes nos énergies à cela depuis la fondation et que nous ne faisons rien.

Le président répond en vantant le sens de la planification que notre communauté manifeste. Nous devrions être heureux de constater que nous refusons d'entreprendre des actions à l'aveuglette. Quant aux ateliers, ajoute-t-il, ils ont lieu en nombre tel que le prévoient nos statuts et règlements.

Monsieur Tytell affirme que nous perdons notre temps à nous réunir si souvent sans but précis, que cela montre une grande incapacité de prendre des décisions, qu'il faut changer nos statuts à ce sujet pour réduire la quantité des rencontres. Cette mesure aurait pour effet, selon lui, de réduire l'absentéisme qui est devenu alarmant et de rendre nos assemblées plus opérationnelles. Il signale que la séance actuelle, avec ses vingt-trois membres présents sur soixante-neuf, n'a pas le quorum et qu'elle n'est pas démocratique.

Le président intervient encore pour dire que l'idée de fixer un quorum avait été rejetée par vote lors d'une assemblée antérieure parce que son application trop stricte rendait inopérantes les réunions obligatoires de notre association. Si monsieur Tytell voulait revenir sur cette décision, il pourrait le faire en le proposant à un prochain ordre du jour.

Madame Kegg donne l'avis que nous nous réunissons par amitié et pour le plaisir du compagnonnage plus que par devoir professionnel.

Monsieur Seil intervient debout, en souriant, dans le cadre de la porte, à côté de trois autres fumeurs. Il ne dépasse pas le seuil et il est difficile de l'entendre, sa voix portant mal. On lui crie de parler plus fort.

Ce brouhaha arrive à déranger le sommeil de monsieur Tromb qui sursaute, lève la main, veut prendre la parole, commence sa phrase, abandonne et dit que c'est trop compliqué, qu'il laisse tomber.

Monsieur Anderson insiste sur l'importance, importante avant toute chose, d'harmoniser harmonieusement la structuration structurelle des objectifs généraux.

Monsieur Renoti dit qu'il faut d'abord établir notre philosophie. Est-ce que nous devons construire nos objectifs en tenant compte du nombre des membres ou pas et en fonction des besoins de tous ou pas ?

Madame Vendler confirme que nos besoins sont à la base de tout. Il faut d'abord identifier nos besoins. Elle en fait une proposition.

Madame Wyck répète que nous nous répétons, que ces besoins ont déjà été définis par les fondateurs de notre confrérie (elle l'appelle ainsi).

Monsieur Thub proteste qu'on se doit de répondre aux interrogations présentes des membres de cette assemblée.

Monsieur Renoti demande de quelles interrogations il s'agit.

Il n'obtient pas de réponse.

Monsieur Brodsky suggère de distinguer les besoins et les désirs des membres. On peut traduire le mot *besoin* par ce qui est nécessaire à un membre pour atteindre un objectif. Et le mot *désir* par ce qu'un membre souhaite que la ligue (c'est son mot) lui apporte. Les besoins diffèrent des désirs. On s'appuie souvent à tort sur la première acception pour signifier la seconde.

Madame Cobb propose qu'on fasse une enquête à l'aide d'un questionnaire écrit pour connaître les besoins et les désirs de chacun tels qu'ils sont définis par monsieur Brodsky.

Monsieur Tytell prétend que cette enquête est totalement inutile. Pour établir ledit questionnaire, il faudrait encore d'innombrables réunions et un questionnaire de ce genre ne va chercher finalement que ce que l'on veut bien aller chercher.

Monsieur Anderson annonce un amendement qu'il souhaiterait produire éventuellement si une proposition était faite, pour introduire le mot *désir* qui lui apparaît d'une importance aussi importante que le mot *besoin,* le désir étant le désir du désir, et le besoin étant le besoin du besoin.

Monsieur Tytell juge cette distinction complètement oiseuse. Ces byzantinismes ne font pas avancer la discussion d'un pas.

Monsieur Brodsky n'est pas d'accord avec monsieur Tytell et estime même qu'une troisième variante devrait être prise en compte : la demande. La demande est distincte du besoin et du désir. Elle se situe entre les deux. Pour bien comprendre les enjeux, il invite l'assemblée à se pencher sur les catégories du manque où l'on reconnaît trois registres (il va s'expliquer au tableau) : la privation (l'absence) qui est manque réel, la frustration (la présence) qui est manque imaginaire, la prostration (figure de l'intermittence) qui est manque symbolique. Le désir est de l'ordre de la privation, le besoin du côté de la frustration, et la demande (de médiation, d'aide, de soutien) s'associe à la prostration. La prostration est inactivité, adynamie. Il s'agit d'un état affadi et accablé du manque. Notre ligue connaît en fait, et clairement selon lui, une situation de prostration. Par conséquent, nous sommes dans la demande. Il est important d'ajouter cette catégorie.

Monsieur Tytell avoue apprécier les subtilités intellectuelles de monsieur Brodsky, mais il croit encore une fois ces développements sibyllins fort déplacés dans les circonstances. Ils compliquent les choses pour rien. En voulant trop éclaircir, souvent on embrouille. Voilà bien ce qui nous arrive.

Monsieur Janet pense au contraire que ces distinctions simplifient les choses. Il y a une grande différence entre un choix binaire et un choix ternaire. En ajoutant un troisième terme, on rejoint une logique de l'infini...

Monsieur Anderson insiste sur l'importance importante de la demande pour demander à chaque membre les besoins de désirs et les désirs de besoins, ainsi que pour demander les demandes en désirs et en besoins de notre union (c'est son mot).

Monsieur Renoti lance une idée nouvelle qui sème la surprise. Si on parle des besoins-désirs-demandes des membres de la fédération *(sic)*, pourquoi ne pas invoquer aussi ceux des non-membres ? C'est une voie à explorer en vue du recrutement. On pourrait en tenir compte dans les objectifs.

Madame Grave ne sait trop si elle doit expliquer sa confusion par sa longue absence de maternité, mais elle trouve que certaines interventions manquent de sérieux et s'excuse de ne pas toujours bien comprendre certaines autres.

Pour mademoiselle Berg, il faut définir les choses si l'on veut répondre aux demandes. C'est le point de départ. Or, définir les besoins, c'est difficile, car les besoins peuvent être déterminés en réalité de l'extérieur, par quelqu'un d'autre que les personnes concernées. En outre notre syndicat *(sic)* ne peut pas intervenir au niveau des désirs pour les satisfaire puisque ceux-ci suivent la mode et sont constamment changeants. Il serait absurde de les introduire dans un objectif. Il nous reste une chose : la demande. Il faut nous concentrer là-dessus.

Madame Vendler revient avec l'idée de tenir compte des besoins et des désirs des membres.

Monsieur Thub ajoute qu'il faudrait consulter aussi les anciens membres, c'est-à-dire ceux qui ont cessé de coopérer. Les raisons pour lesquelles ils nous ont quittés pourraient nous aider à définir les trois éléments préalables.

Madame Cobb propose une pause café pour nous éclaircir les idées.

Applaudissements.

* * *

Les discussions reprennent après un quart d'heure. D'après monsieur Tromb, les choses sont fort simples : l'orientation de la société ne peut être que fermée ou ouverte. Devons-nous nous spécialiser dans un champ d'activité, comme par exemple l'association SDS : Séparés, Divorcés, Solidaires ou le regroupement des suicidaires ? Ou nous ouvrir à plusieurs champs d'activité, comme par exemple l'organisme à but non lucratif Le Rivage qui vient en aide aux épaves de la ville, mais qui a aussi des soucis écologiques et s'intéresse aux problèmes humains dans leur globalité ? Il faut choisir *une* orientation, et non deux. Ensuite nous pourrons définir une philosophie.

Madame Wyck reprend : nous sommes en train, dit-elle, de revenir sur des questions éternelles qui ont toujours divisé notre confrérie en deux. Il ne peut pas y avoir *une* philosophie là-dessus. Il peut se prendre une décision en assemblée, mais cette décision satisfera une partie et rendra l'autre mécontente. En outre, nous ne devons pas être en rivalité avec d'autres groupes analogues au nôtre. Elle propose qu'on reprenne point par point le rapport du Comité spécial sur les objectifs généraux et qu'on se prononce sur ledit rapport.

Le président casse l'ordre des interventions. On peut produire une motion de blâme à son encontre et il est prêt à démissionner tout de suite si on le fait, mais il croit bon de prendre la parole pour souligner que le rapport de la Commission sur les objectifs généraux vient tout juste d'être présenté. Il fallait que le comité en question dépose son rapport à une réunion de l'assemblée, ce qui a été fait tout à l'heure et adopté. Nous ne pouvons pas revenir là-dessus. Donc, l'oublier. Nous avons par ailleurs dans nos archives un ancien bilan du précédent conseil d'administration rédigé à la lumière des éléments qu'il possédait à l'époque et fait dans une perspective de renouvellement. Les personnes intéressées peuvent le consulter sur place, aux archives, en prenant rendez-vous avec la responsable, madame Kegg.

Madame Wyck revient à la charge. Quand il s'est agi d'inscrire l'un ou l'autre des objectifs dans l'actuelle charte, ça s'est fait au nom de l'une ou l'autre philosophie, en assemblée générale. Faut-il ouvrir ou pas ? C'est toujours le même problème. Nous nous répétons. La question des objectifs s'est toujours débattue avec la même division des opinions. Elle suggère que le dernier rapport de la Commission sur les objectifs serve de tremplin aux échanges.

Madame Vendler appuie, en demandant qu'on tienne compte des statistiques indiquées au tableau. Elle souligne que les discussions s'allongent au fur et à mesure que le nombre des membres baisse. C'est révélateur.

Rires.

Monsieur Thub, en grimpant sur son pupitre, la face bleue, propose de prendre comme base de discussion le rapport cité parce qu'il sert de conclusion à un long débat du Comité spécial et aussi parce que ce document collectif devrait contenir les éléments d'une orientation philosophique.

Monsieur Tromb, restant assis, élargissant la tête, appuie. Le compte rendu de la commission fournit les rudiments d'une analyse des généralités qu'il n'est pas possible d'ignorer. C'est là-dessus que nous devons délibérer.

Monsieur Tytell, le sourire en coin, trouve singulier qu'après des heures de débat nous en soyons encore au point de nous demander ce sur quoi nous allons discuter. Il exige qu'on ne fasse figurer cette remarque nulle part parce qu'elle nous discréditerait auprès des lecteurs éventuels et de nos successeurs surtout.

Monsieur Poquey pense que le cercle devrait organiser plus de dîners-causeries.

Monsieur Bone, nouveau membre, dit qu'il a joint notre parti (c'est son mot) dans le but de lancer le F.L.I., le Front de Libération des Idées, et de fonder un organe de ralliement qui pourrait s'appeler *Le Lien*.

Monsieur Tromb réplique que la SDS (Séparés, Divorcés, Solidaires) publie déjà un journal qui porte précisément ce titre (d'ailleurs involontairement ironique) : *Le Lien*.

Rires.

Monsieur Thub signale qu'avant de s'interroger sur le nom d'une éventuelle revue, il lui paraît plus important de réviser celui de notre groupement.

Le président juge cette question hors de propos.

Monsieur Tytell désire qu'on lise le dernier article du rapport de la Commission sur les objectifs généraux. Il demande qu'on le lise à haute voix et d'une façon intelligible, c'est-à-dire selon un débit normal.

Le président accepte de le relire.

On apprend dans cet article que le Comité spécial propose sa propre dissolution ainsi que celle de l'association. Or, cet article, souligne monsieur Tytell, a été voté au début de la soirée avec l'ensemble du rapport. Par le fait même, le Comité spécial n'existe plus et notre club *(sic)* s'est fait hara-kiri. Il ne nous reste plus qu'à nous en aller chacun chez nous.

Le président relance l'assemblée en la priant de considérer que nous sommes ici pour discuter envers et contre tout de l'orientation de l'association. Il affirme que, selon nos règles de procédure, une proposition votée ne saurait être remise en jeu au cours de la même assemblée. On peut le faire dans une réunion subséquente, après avis de motion par écrit.

Monsieur Tytell riposte en invoquant l'irréalisme total du présent atelier. Nous manquons d'argent de toute façon pour réaliser quoi que ce soit. Pourquoi ne pas discuter de ce problème fondamental et voir à le résoudre ?

Madame Cobb suggère aussitôt d'organiser un « bercethon »* pour recueillir des fonds afin de mettre sur pied des projets concrets.

Mademoiselle Berg juge qu'un concert bénéfice serait plus indiqué.

Madame Finn propose plutôt de faire imprimer un calendrier avec des dessins de femmes artistes et avec des textes de poétesses, ce qui refléterait l'esprit d'égalité de notre mutualité (c'est son mot).

Monsieur Seil suggère des tee-shirts unisexes identifiés au nom de la corporation. Monsieur Bone y ajoute des macarons à slogans.

Madame Grave parraine plutôt l'idée maternelle de mettre en vente des bonbons en collaboration avec un fabricant.

---

*Concours populaire qui consiste à se bercer dans un rocking-chair le plus grand nombre d'heures possible sans s'arrêter. Les participants sont payés à l'heure par des bienfaiteurs.

Monsieur Poquey suggère, en évoquant un souvenir d'enfance, que la forme de ces bonbons pourrait être celle de petits poissons rouges et leur saveur, celle du gingembre.

Monsieur Tromb prend partie radicalement pour les rondelles de bananes séchées.

Monsieur Thub, la voix serrée, serrée, grimaçant comme s'il forçait, fait une motion de dépôt pour mettre fin à ces discours. Cette motion reporte les discussions à plus tard. Et ça ne se discute pas.

Monsieur Brodsky essaie de savoir ce qu'est une motion de dépôt et ce qui la différencie d'une motion d'ajournement.

Le président estime le problème fort intéressant et demande à notre experte en procédure, madame Kegg, de le lui expliquer dans le creux de l'oreille. Il revient à l'assemblée qui s'agite en disant : « Ça ne se discute pas. »

La motion de dépôt est votée à la majorité avec trois abstentions.

Le secrétaire ad hoc
H. G. Stack

* * *

Lors de la réunion ultérieure, une motion de blâme sera mise aux voix à l'égard de monsieur Stack pour son travail jugé fantaisiste. Il aurait manqué d'objectivité dans la transcription des délibérations. A la suite de cet impair, on créera une commission spéciale pour étudier les formes possibles de communications écrites au sein de la société, dans le but de les normaliser. Cette commission aura comme mandat de définir clairement et en détail le « compte rendu », le «procès-verbal», le « *hansard* », le « bilan », les « minutes » qui sont tous des textes d'information ; le « rapport », le « document collectif » et la « relation » qui sont des textes d'intervention. Parce que dans l'exercice de ses fonctions l'association est appelée à recevoir, à conserver et à produire des textes d'information et d'intervention, on s'appliquera à en établir les règles officielles de présentation, le protocole de rédaction, les statuts de signataire et de destinataire, et les limites spécifiques.

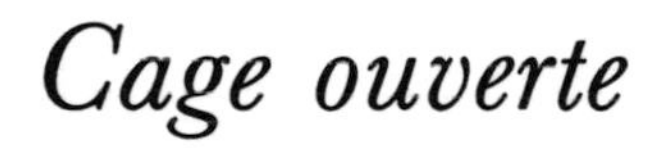
Cage ouverte

« Voulez-vous que je vous dise ? Je suis une bonne pompe. Les impressions les plus fortes, les plus vitales ne tiennent pas longtemps. Je les refoule au profit des suivantes et les oublie. (...) On dit que je compte déjà un certain nombre d'années. Je n'ai jamais eu dans ma vie plus de quinze jour. »

Henri Michaux, *Ecuador. Journal de voyage.*

25 décembre

Nous sommes là. Pourquoi ? Nous ne savons pas. Nous voulons nous reposer. De quoi ? Eh bien d'abord de la fatigue d'être arrivés là.

C'était un dimanche de novembre imbibé de pluie noire. Ma compagne pestait contre le mauvais temps. Il n'en sera pas question, fit-elle. Elle avait raison. J'opinais de la tête. Ma conscience barbotait dans le marais gourd de l'automne. Je ne parvenais même pas à me concentrer pour lire intelligemment un article du journal, quand mes yeux tombèrent par hasard sur une attrayante photo des pays chauds.

DESTINATION SOLEIL. FUYEZ L'HIVER. VENEZ PASSER LES FÊTES AVEC NOUS AU BORD DE LA MER...

Non, il n'en sera pas question. De Noël et du Nouvel An. Je veux dire : pas question de rester au froid pour nos vacances. Momo avait raison. Nous n'en pouvions plus. Il fallait réagir. Et foncer.

Nous y sommes maintenant. Ce ne fut pas facile : nous n'avions jamais quitté notre patelin pour ainsi dire, faute d'argent. Mais avec un peu de volonté, que ne fait-on pas ? Tout est si facile au fond. Il suffit d'avoir des économies, de se soumettre aux vaccins, d'avoir des papiers en règle et de tout prévoir. C'est si simple. La preuve : nous y voilà. Dans le Sud. Pour la première fois de notre vie. Il était temps, comme dit Momo. De nous réveiller.

De nous réveiller, c'est une façon de parler : la chaleur d'ici prend possession de notre souffle tel de l'éther et nous endort en plein jour.

Cet après-midi, nous étions dans un taxi qui nous conduisait de l'aéroport à notre hôtel. J'observais d'un oeil fou les paysages du parcours. Ils changeaient, eût-on dit, non pas d'un mouvement continu, mais par saccades, comme les diapositives qui se succèdent sur un écran. Je les reconnaissais un à un pour les avoir vus dans les brochures touristiques. J'exagère peut-être. À moins que ce ne fût une illusion : c'est bien possible et peu importe. Un coude appuyé sur une valise, Momo somnolant sur mon épaule pour avoir trop bu dans l'avion, j'étais fier de notre décision. L'odeur de la mer nous envahissait par les fenêtres. Enfin à nous la vie d'été à ciel ouvert ! Le chauffeur chantait. Sa gaieté se mêlait au vent et au soulèvement des vagues. Cette impression de bien-être nous a vite fait oublier les mois de préparatifs, les tensions du vol, les sueurs du débarquement ainsi que l'irritation des longues attentes : oubliés les fumeurs impolis, les enfants braillards, les douleurs du tympan à l'atterrissage, les plates formalités douanières, la course épuisante aux bagages, etc., et le prix exorbitant du taxi.

Nous sommes installés dans notre nouveau chez-nous pour quinze jours. Nous avions réservé une chambre à deux lits avec vue sur la mer. Nous n'avons qu'un seul matelas, confortable du reste, et notre fenêtre donne sur les montagnes. C'est un hôtel renommé. Il n'y a pas d'eau chaude. Et à vrai dire nous n'en avons nul besoin. Dans ce pays étouffant, la douche froide, ça réveille, comme dit Momo.

26 décembre

Nous avons fêté hier soir la Noël en amoureux agnostiques au restaurant de l'hôtel. Il n'y a pas d'autre endroit où aller... Et nous n'avons pas le choix de manger ce que nous voulons : la nourriture est obligatoirement locale. Ça fait partie du voyage et c'est très bien ainsi. Cette particularité nous force à sortir de nos routines alimentaires.

Je n'ai pas dormi de la nuit. Sans doute à cause de mon état d'euphorie générale, tout nous invitant ici à vivre intensément chaque seconde (la nouveauté excite, c'est bien connu). Il faut dire aussi que notre chambre se situe au-dessus d'une discothèque très fréquentée. Des portes ont claqué joyeusement jusqu'à l'heure de fermeture : trois heures du matin. Par bonheur, le bruit de ces couche-tard n'a pas affecté le sommeil de Momo.

J'ai à peine eu le temps de m'assoupir que, vers six heures, vint le tour des lève-tôt : les joueurs de golf et les excursionnistes s'apprêtaient allégrement à partir. Je me suis toujours demandé où pouvaient vivre ceux qui n'étaient ni nocturnes ni matinaux, sinon en dehors du monde.

Vers sept heures, l'odeur prenante des cuisines nous monta à la tête. Au point de réveiller Momo. Et puisque nous étions tous les deux debout, nous descendîmes déjeuner avant l'affluence. Mais la salle grouillait déjà de monde. Il fallut attendre.

Le grand geste, en ce premier jour de vraies vacances, fut de nous diriger vers la plage pour goûter enfin aux joies des dilatations solaires et boire la sève de cette eau essentielle. Il y a des années — temps de sacrifices et de constriction laborieuse — que je rêve de connaître ce franc déploiement des sens et de savourer cette totale extase de l'être qui se fait et se défait dans la houle limpide.

Premier contact avec la vague. Je cherchais une onde approbatrice, je rencontrai une ennemie puissante. Ses bras stupides m'enveloppèrent d'une masse aveugle d'eau brune, de pierre, de sable et d'algues gluantes. Ils me soulevèrent brusquement et me rabattirent au fond d'un coup de poing.

J'ai failli être emporté. J'en suis sorti de peine et de misère, étourdi par le choc, étouffé par le sel, la peau scarifiée, le coccyx endolori et les orteils tordus.

Momo, elle, plus prudente, n'avait que trempé ses jambes au bord : une méduse l'a mordue. Ses cris de peur et ses sanglots ont aussitôt formé un attroupement autour d'elle pour lui venir en aide. Nous avons appris qu'il y a eu deux noyés hier. Et je compris pourquoi les autres vacanciers ne s'éloignaient guère du rivage.

« DESTINATION SOLEIL... AU BORD DE LA MER », disait bien l'annonce du journal.

Cela étant, nous avons commencé à profiter de la plage au maximum. Nous faisons comme les autres. Pourquoi tenir à se démarquer ? Un petit orchestre très pittoresque vient nous égayer quelques minutes toutes les demi-heures et un garçon charmant tend le chapeau pour le groupe. Des femmes pauvres nous proposent à chaque instant des petits fours maison, des friandises ou des vêtements artisanaux. On prend bien soin de nous.

Momo a repéré des chaises longues qui traînaient. Nous nous y sommes installés pour être plus à l'aise. Un plagiste noir s'est approché aussitôt et nous a demandé de payer nos places. Momo s'est indignée un peu. Elle avait raison. Je refusai de payer. L'homme écrivit alors quelque chose dans sa main, au stylo, directement sur sa peau. Je me levai et vis le bleu des chiffres (le numéro de notre chambre) se détacher très nettement, comme des veines, dans le gris-rose de sa paume. La plaque numérotée de notre clé pendait, la moucharde, en dehors de mon maillot. J'ai compris que le coût en serait automatiquement porté sur notre note d'hôtel. Le Noir disparut sans même essayer d'argumenter avec nous

Le temps passe ainsi à ne plus compter les gestes ni l'argent. Tout le monde s'occupe, dirait-on, à surveiller sur son épiderme le degré de transpiration et à admirer, dans cette assomption, comment le soleil extirpe de soi tout le mauvais.

Nous rentrons au crépuscule entièrement purifiés et la peau brûlée. J'écris une carte postale à mon frère Doudou :

« Ici le corps chargé de clarté, tout ébahi de sa propre chaleur, tout ébloui par sa réalité matérielle, se découvre enfin existant. Momo et Djo. »

27 décembre

Les coups de soleil m'ont empêché de dormir. Les nombreuses piqûres de moustiques aussi, qui démangent atrocement. Momo, en outre, a été malade toute la nuit : nausées, vomissements, diarrhée forte, étourdissements. Pourtant nous avons pris toutes les précautions fondamentales (vaccins, quinine, etc.) et nous avons évité ce qu'il fallait : jamais d'eau courante, ni de glaçons. Nous employons même, pour nous brosser les dents, de l'eau gazeuse en bouteille (la seule eau pure disponible), ce qui est très désagréable (mais on s'y fait).

Momo a été contrainte de consulter le pharmacien-médecin attaché à l'hôtel (comme quoi nous sommes en sécurité : la maladie est prévue). Il lui a prescrit des médicaments qui l'apaisent beaucoup. Journée au repos, à l'ombre, en quête du frais.

Demain, nous nous évaderons. Nous nous couchons tôt pour être dispos. Le degré d'humidité a considérablement augmenté et nous sommes obligés de mettre en marche, pour la première fois, le bruyant climatiseur.

28 décembre

Notre hôtel est isolé au bord de la plage. Pour nous rendre au plus proche village et prendre un peu le pouls du pays, il faut une heure à pied. Ce qui peut constituer une belle promenade. Impossible de nous tromper, il n'y a qu'une route. Nous y sommes allés.

Au fur et à mesure que nous avancions, l'émoi fantaisiste des végétaux, avec leurs vivants soubresauts d'ombre et de lumière, laissait place à des élancements ébouriffés de branches sèches. Au loin, les montagnes arides s'allégeaient dans l'irréalité du mirage. Nous nous arrêtions de marcher de temps à autre pour mieux tendre l'oreille. La lumière intense semblait dépouiller le paysage de ses manifestations sonores et épaissir le silence.

Arrivés à destination, nous ouvrîmes nos paupières au maximum. L'envers de l'exotisme se présenta de plein fouet. Nous découvrîmes une vaste poubelle humaine, un pêle-mêle de maisons de paille et de carton où ne vivent que des êtres à la vie lente et minimale. Les habitants passent la journée la bouche ouverte, assis sur leurs lits de terre. À côté d'eux, des peaux de serpents larges et longues sèchent au soleil. Comme les vacanciers sur la plage.

On nous avait vanté le petit marché. C'est une masse éparpillée de chair animale, un étalage odorant d'écailleux, d'ongulés en morceaux, de poilus entiers. Et le fumier, ici, a le même parfum que chez nous.

Demi-tour. Nous rentrons. Douche froide. J'envoie une carte à mes parents :

« *Ce village se maintient en équilibre orgueilleux sur une falaise. Les habitations sont frêles. Elles n'ont pas l'existence lourde et opaque de nos demeures de pierres. Les entoure une constante buée de chaleur qui confère aux architectures un air d'inexistence et contribue à noyer l'ensemble dans le songe. Les couleurs bavent au dehors des contours sous l'effet de l'irisation solaire. Les objets et les êtres perdent leur définition exacte. Richesse de ce dénuement où toutes les heures se ressemblent et font le temps vaste. Momo et Djo.* »

29 décembre

J'ai mal au ventre à mon tour. Il fallait s'y attendre, tellement c'est courant. Ici la digestion a une dimension événementielle et alimente les conversations quotidiennes. À table, on peut demander à un inconnu sans risque d'impolitesse : « Et à propos, avez-vous des problèmes d'intestins ? »

Nous avons acheté des lunettes noires pour protéger nos yeux rougis par la fatigue. Essais de lecture sous les palmes. Impossible, trop de lumière. Tentatives de rêverie, mais l'esprit est abruti par l'atmosphère. Reste l'hébétude. Sieste bourdonnante d'insectes. Privilège des vacances : avoir assez de temps devant soi pour éprouver du plaisir à le perdre.

En soirée, je griffonne dans la chambre un mot pour ma soeur Clo :

« On voit souvent des enfants porter d'étranges algues géantes en forme de trompettes. On peut y reconnaître le signe d'un paradis proche. Un paradis païen bien sûr. Ça résume tout. Momo et Djo. »

30 décembre

Le vent, la nuit. La mer s'agite. Les vagues vrombissent comme des réactés. Insomnie. Lever tôt. Excursion organisée dans l'arrière-pays.

Dans le désert en fait. Il n'y a pas en vue une seule trace de l'homme : chemin, clôture, maison, fumée... Pas d'horizon non plus. Sa ligne se dilue dans le tremblement d'une illusoire nappe d'eau. Là semble finir le monde. Dans une onde lumineuse. Le regard s'y perd et ne sert plus à rien. Momo l'a compris dont les paupières succombèrent vite à la torpeur.

Et pourtant, j'ai cru découvrir dans ce vide quelque chose comme le sentiment de la liberté vraie. L'esprit s'y sent totalement affranchi et l'espace est restitué dans toute sa largeur.

J'ai passé une partie de la nuit à traquer un petit lézard qui a affolé Momo et failli l'empêcher de dormir.

31 décembre

Nous finissons l'année avec tout le groupe. Au restaurant de l'hôtel bien sûr. Spécial Nouvel An : banquet et bal. On nous offre à volonté un choix de tous les plats locaux que nous avons mangés jusqu'à maintenant depuis notre arrivée.

Cris de joie, flûtes et crécelles annoncent la venue de minuit. Nous nous retrouvons avec des confettis dans nos assiettes, des bonnets de papier sur la tête, des serpentins à plumes gonflés sous le nez. Les ballons nous éclatent au visage et, sous les tables, les pétards à répétition nous mitraillent les jambes. Nous sortons.

À l'extérieur, c'est le feu d'artifice dans le ciel nocturne. Tumulte lumineux des fusées fulminantes : polypes d'éclats, cornes d'étoiles, nuées d'étincelles en chute lente. Le va-et-vient vagabond des pas sur la plage cherche à prolonger ce moment d'intensité.

Soudain un sifflement traverse l'espace et se pose sur moi : une amorce explose. On nous lance du feu. Des enfants malfaisants probablement. Nous nous retirons de ce coin trop animé et, un peu plus loin, nous laissons tomber nos corps enlacés dans le sable frais en nous souhaitant la bonne année. Au moment où j'embrasse Momo, je reçois un coup de botte dans le dos. Un homme ivre a buté sur nous et nous a agonis d'injures. Il a voulu me battre.

Toute la nuit, on a fait claquer des pétards et on a fracassé des bouteilles sur les rochers.

1er janvier

Tard le matin. Après m'être rasé, je me suis senti plus affectueux et plus démonstratif que jamais à l'aube de cette année nouvelle. J'ai eu envie d'une excentricité douce pour Momo et j'ai écrit un trop banal « Je t'aime » sur le miroir au-dessus du lavabo avec son crayon de rouge à lèvres. Exactement comme on voit au cinéma ! Je rêvais de poser ce geste depuis toujours et le dépaysement du voyage m'aura rendu audacieux il faut croire. J'attendis au lit le réveil de Momo, palpitant d'excitation en imaginant sa surprise.

Elle en fut très chagrinée et me semonça parce que j'avais abîmé son bâton et qu'il coûtait fort cher. Elle avait raison. Je n'y avais pas pensé.

En fin d'après-midi, nous avons timidement décidé d'imiter la foule des sages touristes épanouis qui, chaque jour à la même heure, courent lestement sur la plage pour se garder en forme.

Nous avons vite mis court à cet exercice pour lequel nous n'étions pas préparés. Il nous aurait fallu au moins des chaussures appropriées. Momo s'est coupée au pied sur des tessons dans le sable. Médecin, pansement et tout. Désormais, nous devons éviter de marcher.

Rencontre d'un vieux couple de compatriotes. L'homme nous raconte qu'il a perdu son dentier en essayant de se baigner. Il ne peut plus rien manger de solide. Ce fâcheux incident vient d'abréger leur séjour. Ils retournent demain au pays, d'urgence. Ils ont eu de la chance, ont-ils dit, ils ont pris les dernières places à bord de l'avion. Tout est complet pour une semaine.

Nous sommes condamnés aux vacances, tout geste suspendu, le temps arrêté, le train de la vie courante figé ou distrait.

J'envoie une carte postale aux parents de Momo. Je prends bien soin de ne rien dire de l'accident pour ne pas les inquiéter.

« C'est un pays où s'étendent à l'infini les plages lavées d'écume salée. Et en suivant maille par maille tout le tracé fin de cette dentelle de sable — c'est le bout de jupe de la terre qui trempe dans l'eau — on arrive à l'excessif total : la merveille d'ici. Momo et Djo. »

La voix secrète

« La voix est un second visage. »

Gérard Bauer

Une voix. Qui cassait la langue. Délicieusement. Une voix étrangère qui disait : « Touchez-moi. Je suis la peau des jours. Et je ne pense jamais. La pensée, le savoir, la réflexion, beaucoup tâchent encore à ce niveau. Laissons-leur ça. Nous, nous sommes plus loin. Il n'y a rien à comprendre, ma douce. Il suffit d'éprouver. Ah ! sentir... tout est là ! Sentir bâiller contre ma bouche la fente du monde... Contenir la beauté dans nos mots frissonnants et se laisser venir ensemble à travers la nuit, sans limites, *SWALK...* ».

Elle chuchotait toujours cette syllabe magique : *SWALK*. En la prolongeant. Nonchalamment. Sensuellement. *SWALK : Sealed with a loving kiss.* C'est ce que ça voulait dire. Elle nous avait appris à répéter ce vocable après elle. *SWALK*. Provocation jouissive d'un écho, comblement mutuel dans le même tumulte euphorique. Volupté de l'entendre, cette intonation chaude. Qui nous prenait, nous reprenait, nous rattachait à la vie. Nous, jeunes filles trop éduquées, surprotégées. *SWALK*. Rare source d'émoi profond à parvenir alors jusqu'à nous. Nous la chérissions pour toutes les portes qu'elle enfonçait en nous.

Elle nous parlait au téléphone, cette voix. Elle nous parlait lorsque nous composions son numéro mystérieux, découvert par l'une d'entre nous. Chiffres de rêves que nous couvions jalousement, tel un secret. Ils nous donnaient libre accès au royaume interdit de cette troublante voix d'homme. Toujours la même, mûre, douce, sympathique. Un voisement soyeux de soir. Ou de dimanche après-midi. Disponible au bout de nos doigts. Pour meubler notre ennui de jeunesse.

Cette voix inconnue se cachait sous le nom d'Albert.

Que de regards mouillés, que de confessions libératrices, que de corps à corps médiatisés, que de paradis à portée de nid nous offrait l'intrigant Albert !

L'appelions-nous en groupe ? Tout excitées, nous lui parlions à tour de rôle, nous nous amusions avec lui en bavardant de tout et de rien. Les unes innocentes, les autres provocantes, nous lui racontions nos problèmes de l'heure, la plupart imaginaires, ou nos amours, en fait inexistantes, ou nos soifs, mélange de feintes et de rêves réels.

Et toujours le même accueil indéfectible. Sa patience. Sa politesse. Sa curiosité aussi. Nos confidences encourageaient ses questions indiscrètes. Son insistance joueuse nous conférait de l'importance. Albert s'intéressait à la couleur de nos cheveux, de nos yeux, à la forme de nos lèvres, sollicitait des descriptions physiques précises, pour mieux bâtir une image autour des voix anonymes qu'il écoutait. Il susurrait nos prénoms, nous inventait des surnoms affectueux, pleins de charmants diminutifs. Souvent, avec l'une d'entre nous, une intimité se créait, une proximité explicitement sensuelle s'instaurait. Et tel était bien le plus émoustillant. Les propos s'empourpraient, la température de l'échange s'élevait. Ses phrases d'homme cherchaient à nous rejoindre, calmement, sans jamais glisser dans la vulgarité — cela nous eût refroidies — et finissaient, dans leur distance, par nous traverser de merveilles. Albert agissait auprès de nous comme un prince consolateur. Il nous fournissait une bonne cure de parole et nous permettait de vivre des transgressions légères. Transgressions rassurantes parce que sans conséquence, et capitales à nos yeux, car elles nous servaient de soupape.

« Exaltons-nous, juste un peu », murmurait-il quand je l'appelais seule, en cachette.

Gestes. Paroles. Silences. Hypnose. *SWALK*. C'était mieux que dans les livres. Mon corps s'éprouvait. L'oreille ne portait plus attention au langage articulé et à la compréhension : l'ouïe perdait la tête, son intelligence habituelle s'endormait, l'air parlant n'avait plus de sens. Il devenait une sorte de sonde impalpable qui me pénétrait exquisement et m'immobilisait dans le plaisir.

Bonne présence d'homme, tendre, captivante, qui s'insinuait dans mon silence, m'engourdissait comme un venin, me figeait dans les rets de sa convoitise. État sucré de l'être. Espace saturé de volupté. Le corps tout entier abandonné à la jouissance de langueur, à la langueur de jouissance. Onde envoûtante, enlevante.

« Viens avec moi, ma nacelle, dans le vent ; viens rejoindre mon sourire. »

Et toujours sa gourmandise posée, la mienne, mezza-voce. Amollissements délectables. Dans la décision intime de ses cordes invocantes.

Souvenirs d'ivresse en sa compagnie. Du temps à manger la paix et le feu. À goûter la lente assertion du plaisir. *SWALK*. Éveil long et multiplié des sens avec lui, à bout de souffle, dans la nuit du téléphone, en bleueurs toute. Glissements sensuels sur des lacs de nuées enveloppantes. Délices de cette émission vocale, de la mienne. Irruption folle de la chair dans la gorge et force intime d'arrachement.

La sensation de jouer un rôle n'existait plus. J'avais seize ans. J'aimais cette voix. J'ignorais tout de son identité. Les émotions les plus intenses de ma vie ne tenaient qu'à un fil. C'est le cas de le dire.

* * *

Avec le temps, elle s'est évaporée, cette voix douillette. Elle revient pourtant, plus tard, trente ans après, un soir quand je redécouvre par hasard, en fouillant dans ma boîte à souvenirs, le numéro si palpitant d'Albert.

Ce son d'amour évanoui conservé là, chiffré, parmi les choses essentielles du passé. *SWALK. Sealed with a loving kiss.* Fétiche volatil adoré encore pour le retour des premières joies qu'il entraîne. Elle revient davantage, cette voix, vague submergeante, lorsque j'évoque toute cette histoire à mon conjoint. Mais revient-elle vraiment avec sa gamme complète de soupirs, son cortège déployé d'instants fastes, son jabot d'émotions secrètes ? Plus je répète le numéro dans ma tête, plus les images auditives renaissent et s'enchaînent en réseaux intérieurs pour recomposer le scénario harmonieux de naguère. L'ouïe se réchauffe, s'excite, hallucine. L'oreille sait ce qu'elle veut et va le surprendre là où s'exécute à nouveau la partition amoureuse d'autrefois. Elle reconnaît et approuve cette voix qui borde, son pouvoir d'emmitoufler, son bercement qui absente du monde, tout son arrière-pays érotique.

La tentation est irrésistible. Les mains s'agitent fébrilement autour du téléphone. Rappel de gestes si souvent répétés. Soulagement ? Déception ? Pas de réponse.

Cet événement nous met dans un état d'excitation sans précédent. Car dans cet aveugle numéro mon mari a reconnu celui de l'un de ses vieux amis d'enfance, Henri, qu'il continue d'ailleurs de voir de temps à autre.

Des suppositions diverses affluent à notre esprit. Me serais-je trompée de numéro ? Cela me paraît impossible, tellement ces chiffres sont ancrés profondément dans ma chair. Y aurait-il eu changement d'abonné depuis le temps ? Non, c'est bien le numéro de la mère d'Henri ; ce dernier a toujours vécu seul avec elle, son père étant mort peu après son mariage. Henri avait-il pu jouer le rôle d'Albert ? Peu probable, il aurait été trop jeune, parce qu'il avait le même âge que nous deux. Tandis que la voix de l'inconnu, elle, contenait, dans son grain, un poids temporel certain. Qui, alors, porterait le masque d'Albert ? Faute d'indices sûrs, l'énigme conserve sa pleine épaisseur et nous restons perplexes.

Puis fatigués d'analyser, d'interpréter, de tourner et de retourner les choses en vain, nous nous désintéressons complètement de cette histoire.

* * *

Plus tard, un soir d'été, une première se présente : nous recevons une invitation incontournable et je dois accompagner mon mari chez Henri. Nous ne pensons guère à l'histoire d'Albert. Nous sommes plutôt fort préoccupés par notre paraître. Il s'agit d'une réception très corsetée : les hommes en habit, les femmes en robe du soir.

Il y a foule. La plupart debout. Tous raidis par le vernis des manières et la crampe de la politesse.

Présentations. Baisemains. Croisements de regards. Propos égarés de salon. Plateaux chargés de verres et de bouteilles. Petits fours. C'est la mise en scène classique du grand vide mondain.

À un moment de la soirée, à force de converser ici et là, je ressens une soif irrésistible (je ne bois jamais d'alcool). Je vais sans hésiter à la cuisine pour me désaltérer. S'y repose, assise, la mère d'Henri, que j'ai déjà rencontrée. À côté d'elle, debout, sa bonne, une femme corpulente en tenue classique avec coiffe. Je demande à l'hôtesse si je peux avoir un verre d'eau. Elle transmet aussitôt mon désir à la domestique qui dit simplement : « Mais tout de suite, madame ! »

Ces cinq mots, pourtant si insignifiants et si naturels dans le contexte, me stupéfient : ils ont été produits par une gorge anormalement grave et je reste ahurie parce que je viens de reconnaître, avec certitude, la voix d'Albert !... Tout énervée par cette découverte renversante, j'emporte mon verre d'eau en tremblant et j'accours auprès de mon mari. Je le pousse dehors, à l'écart, sur la terrasse, et je lui communique la nouvelle en bégayant, tellement l'émotion a envahi mon discours. Je ne peux pas me contrôler. Nous sommes contraints de partir.

* * *

Depuis je m'enferme tous les jours, pendant de longues heures, dans le cercle d'une bougie, pour écouter mes opéras favoris et mes voix étrangères, mes voix d'hommes. En dehors du monde.

J'ai l'air, dit mon mari, d'une madone en image, d'une vierge détrempée, écorniflant l'éternel.

Il n'y a rien à comprendre, mon doux. Il suffit d'éprouver. Je suis la peau du temps. Et je ne pense jamais. *SWALK.*

Figurez-vous

« La pauvre quand on pense comme elle passe ses journées, elle est bien méritante. »

Robert Pinget, *Le Libera*

Ne croyez pas certaines mauvaises langues. J'ai peut-être l'air d'une vieille âme en peine, mais j'ai très bon coeur, vous le verrez avec le temps. Je ne pourrais pas en dire autant de tous nos voisins qui n'en finissent plus de parler contre les autres. Croyez-moi, c'est devenu l'enfer. Je déménagerais si je n'étais pas obligée de m'occuper de Benta. Oui ! C'en est rendu à ce point ! C'est pour vous dire combien j'en ai ras la casquette. Et puis mon appartement est devenu trop grand pour moi. Huit pièces pour une personne seule, c'est finalement beaucoup. Pensez au ménage ! Impossible de se trouver de l'aide, aujourd'hui, vous le savez comme moi. En plus, quand on peut, ça coûte cher. Et lorsqu'on arrive à peine avec ses rentes, il faut bien se débrouiller tout seul. J'en parlais l'autre jour avec Benta : elle prétend que c'est partout pareil.

Elle aussi, elle a la vie dure, la pauvre ! Certains jours, elle voudrait mourir. Vous savez, le métier de concierge ne fait pas beaucoup envie. Elle a tout l'immeuble sur le dos et celui d'à côté. On la harcèle constamment. Il y a chaque jour des problèmes à régler. Elle doit s'occuper des poubelles, nettoyer les escaliers, essuyer les griefs des propriétaires et des locataires. Ils ne sont jamais contents. Ils critiquent sans cesse et médisent sans scrupule, parce qu'elle doit, par surcroît, subir les calomnies des uns et des autres. On lui reproche même ses petits penchants pour les plaisirs de la vie. Imaginez ! Elle n'est pas meilleure qu'une autre, mais tout de même ! Écoutez-les tous quelques minutes et vous verrez ! Vous connaissez l'histoire classique : vous ne faites rien, on se plaint ; vous faites quelque chose, on gueule. L'idéal serait de toujours faire semblant, ma foi.

Et pourtant si cet édifice est respectable et bien entretenu, nous lui en sommes redevables, j'en sais quelque chose, je vous l'assure. Elle se dévoue à se fendre le coeur pour tous ces goujats, la pauvre ! Après toutes les épreuves qu'elle a vécues, c'est inhumain de la traiter ainsi.

Il est vrai que parfois elle s'y prend mal. Sa franchise et sa spontanéité ne contribuent pas toujours à la rendre aimable, il faut dire les choses comme elles sont. Ça crée des tensions. Et moi, dans tout cela, j'ai une position difficile, entre l'arbre et l'écorce, vous le comprenez. Ils m'en font voir de toutes les couleurs.

« Vous avez perdu votre dignité, m'a dit l'autre jour monsieur Clem du deuxième, vous avez un si bel appartement au premier, je ne comprends pas pourquoi vous vous tenez dans la loge de la gardienne. C'est inconvenant ! »

Mais je m'entends bien avec elle, et alors quoi ? Qu'est-ce que ça peut faire ? L'important n'est pas où on est, mais comment on se sent ! Non ? vous ne croyez pas, vous ?

« Mais c'est une simple concierge, a rajouté monsieur Clem, il y a un tel fossé entre elle et vous. »

Et après? Benta et moi nous pouvons bavarder des heures : elle ne m'ennuie jamais. Elle a vécu tellement de choses, cette femme! Impressionnant! Elle n'a pas eu l'existence facile, la pauvre!

Figurez-vous qu'après son divorce, elle a mal tourné, comme on dit : les enfants, tous majeurs, l'ont quittée tout de suite et l'ont même reniée. Quels ingrats les enfants d'aujourd'hui! Heureusement, je n'en ai pas.

Monsieur Clem du deuxième a déjà défini Benta comme une « gouine » genre « Jules » : vous y comprenez quelque chose? Il est vrai que Benta s'attire toutes sortes d'injures. Elle fait exprès : elle fume des cigares, s'habille en homme, etc.

Je vous dirai même plus, pour vous montrer à quel point cette femme est un peu provocante et aussi prodigieusement étonnante : figurez-vous qu'elle a déjà été camionneur! Mais oui! Lorsque son mari l'a quittée, elle a tout de suite trouvé cet emploi à sa mesure. Pendant deux ans, elle a sillonné les routes au volant d'un camion à remorque. Vous l'imaginez, avec sa carrure d'haltérophile, ses traits de virago, ses cheveux très courts, comme ça, à la direction d'un seize tonnes? Incroyable, elle est incroyable! Ajoutez à cela sa voix assez grave : vous l'entendez hurler aux carrefours contre les conducteurs du dimanche?

Évidemment, on ne sait pas trop à quel sexe elle appartient. Voilà bien ce qui gêne monsieur Clem du deuxième, l'amateur de classement (il travaille au zoo). Pourquoi veut-on toujours savoir à quel sexe on a affaire? C'est important, ça? Qu'est-ce que vous en pensez? Moi, je ne crois pas. Les flottements androgynes, comme ils disent, troublent beaucoup les gens, et ils n'ont pas raison. Il faut vivre de son temps, voyons! Aujourd'hui il ne convient plus d'être encore aux prises avec ces malaises insignifiants.

On a dit aussi, ça c'est madame Cauche du troisième, la voisine de palier des Gabrielli, qu'elle faisait partie de cette catégorie de personnes négatives qui cherchent toujours le défaut dans quelque chose. Benta a dû aller chez madame Cauche un jour pour constater des problèmes de plomberie et elle en avait profité pour commenter certains des beaux objets qu'elle possède. Figurez-vous qu'elle avait réussi à dépister une fissure invisible dans une porcelaine de prix. Madame a été insultée à jamais.

Et en passant, à propos de madame Cauche, saviez-vous qu'elle s'est fait cambrioler la semaine dernière ? Heureusement les voleurs n'ont rien emporté : ils cherchaient de l'argent. Mais ils ont tout mis sens dessus dessous. Et nous n'avons rien vu ! C'est pour vous dire quels dangers nous entourent. Les Gabrielli ont fait blinder leur porte et monsieur Clem a déclaré qu'on ne pouvait plus rien posséder en paix. Quant à madame Cauche, elle soupçonne Benta. Vous imaginez où en sont les rapports.

Quoi qu'il en soit, Benta excelle, il est vrai, à relever les imperfections ; ça peut devenir désagréable à la longue et même, à la limite, invivable. Le souci du détail, c'est l'enfer. Vous le savez aussi bien que moi. Mais pour Benta, il faut prendre les choses autrement : ses qualités sont l'envers de ses défauts. Son amour de la perfection fait que nous avons l'entrée et les escaliers les plus propres de la rue. Vous en conviendrez facilement.

Toujours est-il que Benta a quitté son travail de routière pour devenir gardienne ici. C'est curieux, n'est-ce pas, de passer ainsi d'un extrême à l'autre, d'un emploi de nomade à une tâche de sédentaire ? J'ai entendu dire qu'on l'avait renvoyée en fait. Oui, parfaitement. Parce qu'elle avait eu un accident grave une nuit : elle s'était endormie au volant (elle avait trop bu) et aurait raté un virage. Mais ça, c'est entre nous, personne ne le sait. Ne le répétez surtout pas.

Vous avez vu sa loge, là ? Voyez... C'est minuscule, sombre, déprimant, hein ? Je me demande comment elle fait pour y vivre. Une petite table poussée contre un mur, un grand lit miteux (sa part du divorce), une cuisinière, un réfrigérateur et une chaufferette électrique. Voilà tout ce qui lui reste. Moi ça m'impressionne parfois, quelqu'un qui sait se contenter de si peu. Pas vous ? Elle ne se nourrit souvent que de soupes, vous savez, et porte toujours les mêmes vêtements. vous les avez vus ? Pantalon et pull noirs, le dimanche comme la semaine. Elle ne se complique pas l'existence là-dessus.

On dit que depuis deux ans, elle passait ses soirées, voire ses nuits (ça, je ne pourrais pas l'affirmer) avec sa seule amie, la gardienne de l'immeuble voisin, Violetta, mijaurée très fragile dans la quarantaine. Violetta arborait en tout temps des lunettes de soleil pour cacher son léger strabisme. Quand cette Violetta est arrivée dans le décor, elle avait l'air d'une petite souris qu'on aurait embrassée tout un après-midi.

J'en ai appris une bonne à son sujet. Cette Violetta a eu deux enfants suite à une passion amoureuse avec un moine. Imaginez ! Elle n'a pas eu de chance, elle non plus. Ses deux enfants se sont suicidés. C'est pour vous dire : la vie moderne est dure. Violetta avait une fille et un garçon. Vous savez comment ils sont morts ? Sa fille, une beauté paraît-il, lui a dit bonsoir après dîner et elle est allée se pendre dans la salle de bains. Elle avait vingt-trois ans. Surprenant, hein ? Renversant, vous l'avez dit. L'autre, à trente ans, était marié et malheureux : un samedi, il accompagnait sa femme dans un supermarché pour se faire photographier par un automate public. Il n'a pas attendu le développement et, pendant que sa femme s'affairait à des courses, il s'est enfui et s'est tué dans son auto en détournant vers l'intérieur, par un boyau d'aspirateur, les vapeurs du tuyau d'échappement. La femme avait retrouvé une bande de quatre photos de son mari en provenance de la cabine photographique et, sur les quatre, il tirait la langue. Vous figurez-vous dans quel état elle devait être ? Voilà pour les enfants de Violetta. Ce ne fut pas facile à accepter, paraît-il.

Lorsque cette Violetta s'est installée ici, elle buvait beaucoup et régulièrement. Au moins quatre litres par jour. Je n'exagère pas. J'ai compté les bouteilles une fois dans la poubelle. Elle vivait dans la demi-conscience de l'ivresse depuis des années, m'a-t-on dit. Elle cherchait à oublier. On a fini par voir, à la longue, des pustules inguérissables lui pousser dans le cou. C'est elle qui a entraîné Benta à boire. Vous comprenez, deux malheurs, quand ils se rencontrent, que voulez-vous qu'ils fassent ? Les gens de l'immeuble n'appréciaient guère le couple bizarre qu'elles formaient et les soupçonnaient d'homosexualité. Elles mettaient souvent leur travail en commun et se partageaient les tâches d'un immeuble à l'autre. Elles se brouillaient fréquemment. On a été témoin de scènes terribles. Mais elles sympathisaient beaucoup, semble-t-il, puisqu'on les voyait toujours ensemble.

J'étais là le jour du triste événement. C'était au printemps. Je fus témoin de tout. Je les avais rencontrées par hasard dans le parc d'en face où je me reposais et me chauffais sur un banc dans un triangle de soleil formé par les arbres. Ça devait être un mardi, jour de marché. Elles avaient toutes les deux terminé leurs courses et étaient venues s'asseoir à même le gazon à l'ombre.

Ah ! si vous saviez comme elle dépensait cette Violetta ! Ça faisait pitié au fond. Elle n'avait pas le sou et se ruinait pour des coquetteries. Quand elle était mariée, elle ne se privait pas, je vous l'assure : manucure, pédicure et coiffeur toutes les semaines. Imaginez ! Ce jour-là, elle venait de s'acheter des vêtements neufs : une robe au cou, une petite cape blanche mignonne et un grand chapeau. Comme si elle en avait besoin ! Elle portait une fortune sur son dos. Remarquez que ça lui allait à ravir. Et la chose avait dû rendre jalouse madame Cauche qui les avait entrevues en sortant de l'immeuble, car elle revint une heure après, je l'ai vue de mes yeux vue, avec un chapeau plus grand encore que celui de Violetta...

Toujours est-il que Benta et son amie étaient à se détendre dans le parc. Violetta avait enlevé ses chaussures neuves en chantant, puis avait plongé sa main dans son sac de toile fleuri pour en sortir une bouteille de rouge. Alors vous comprenez tout de suite le genre de pique-nique qu'elles s'apprêtaient à faire. Elles se passaient le litre tour à tour et l'ont vidé en quelques lampées. Et elles filaient ainsi de bouteille en bouteille, lorsque, soudain, Violetta s'est sentie mal. Elle a voulu enlever sa petite cape blanche, mais elle a hésité. Ses gestes semblaient déréglés. Elle l'a soulevée à demi, l'a remise, s'en est défait à la fin. Son visage blanchissait à vue d'oeil. Benta s'en est aperçu et lui a conseillé de manger un peu. Elle a sorti un paquet de pralines du sac à provisions. Violetta mâchait lentement, se levait, se rassoyait, semblait à bout de souffle, grimaçait de douleur.

« Respire fort, lui disait Benta. Prends tout l'air que tu peux. »

Violetta a voulu marcher nu-pieds : elle a titubé et elle s'est effondrée dans un fourré près d'une clôture.

Elle était soûle, me direz-vous. Il y avait plus que cela, je crois. J'ai pensé, quant à moi, qu'elle devenait folle. Elle bavait, elle agrippait ses orteils, comme s'il s'agissait d'objets étrangers à elle-même. Benta a essayé de la ramener sous l'arbre. Elle ne pouvait se déplacer qu'à quatre pattes. Elle régressait. Je vois encore Benta derrière elle, qui avait sorti de sa poche un grand mouchoir rouge comme en ont les bouffons de cirque et qui se mouchait avec bruit (c'est son tic). Ça devait être un samedi, après tout, mon jour de lecture.

Violetta a avalé quelques pralines. Et elle a ouvert une autre bouteille. À les voir ingurgiter tout ça, je me suis dit : un beau matin, elles en crèveront, c'est sûr. On les retrouvera mortes dans le parc ou dans la rue sous les roues d'un camion. Le vin leur coulait sur le menton et a taché la robe de Violetta. Je me rappelle très bien. Benta l'a aidée à nettoyer ça avec son mouchoir. Ce détail m'avait frappée. Elle lui a allumé une cigarette. Violetta a fumé, mais sans inhaler la fumée. Elle a éteint après quatre ou cinq bouffées, a repris ses affaires, a fait un bon bout de chemin, avant de s'affaisser sur le trottoir.

Alors Benta s'est mise en colère. Son regard ivre fulminait dans le vide. Elle a semoncé sévèrement sa compagne. Elle lui reprochait surtout d'être tombée. Elle aurait pu se faire mal.

Benta avait l'air d'un phare et Violetta ressemblait à une grenouille. L'image peut vous paraître un peu farfelue, mais je les percevais ainsi. J'ai déjà écrit des contes pour enfants, vous savez. Ça doit paraître, parfois, vous ne trouvez pas ? Mon défunt mari en a publié lui aussi, des milliers. Vous le connaissez peut-être ? Il était très célèbre. Perkins, il s'appelait. Perkins, il signait de ce nom de plume. En tout cas, peu importe, pour en revenir à mon histoire... ce devait être un jeudi à bien y penser, jour de tricot. Le phare parlait fort et la grenouille pleurait au point d'enlever ses lunettes pour s'essuyer les yeux.

Le phare lui a offert des pralines. Elles ont mangé ainsi tout le paquet en silence, Benta debout, Violetta assise sur le trottoir.

Après, la querelle a éclaté de nouveau. Benta embrassait du nez les alentours. La grenouille semblait se plaindre de ses pieds souffrants : elle était venue là pour les laisser se reposer. Elle ne pouvait plus tenir debout. Le phare lui a tourné le dos. Ce devait être un vendredi, réflexion faite : je revenais de la banque.

Benta, au bout d'un moment de paix, a aidé sa compagne à se relever. Violetta avançait difficilement, par bonds glissants entrecoupés de pauses. On les voyait marcher ensemble, lentement, le phare traînant la grenouille.

Tout d'un coup, Violetta s'est écroulée sans connaissance. Elle a brisé ses lunettes noires dans sa chute. Elle ne bougeait plus. Benta a eu beau pester contre elle, on a dû la transporter d'urgence à l'hôpital. Elle est morte peu de temps après.

D'une cirrhose du foie, semble-t-il, compliquée d'une autre maladie qu'on n'a pas pu expliquer. Ces choses-là arrivent si vite. Le docteur a certifié qu'elle n'avait pas souffert... Ils disent toujours ça.

Benta était la seule relation que la petite défunte avait au monde. Imaginez ! Alors, à l'annonce de sa mort, Benta, vous le comprenez bien, s'est rendue tout de suite à l'hôpital, c'est normal.

Un médecin l'a accueillie derrière une porte vitrée et verrouillée. Il lui interdisait formellement d'entrer. Parce qu'elle était mal habillée, sale et ivre. Voilà du moins ce qu'elle m'a raconté. Incroyable, n'est-ce pas ?

Monsieur Clem prétend qu'elle est dangereuse quand elle boit. « Qu'est-ce que vous allez chercher là, lui ai-je dit, elle n'est absolument pas méchante, soyez indulgent, voyons. » « Vous croirez ce que vous voudrez, a-t-il ajouté, mais à se soûler ainsi toute la journée, elle jette le déshonneur sur tout l'immeuble. »

Je n'étais pas d'accord : son ivresse n'a jamais rien d'humiliant ou de déshonorant à mon sens. J'ai toujours vu les choses d'un autre oeil que monsieur Clem, qui est très étroit d'esprit, en passant, vous avez dû vous en rendre compte. Sinon, vous en aurez l'occasion, croyez-moi ! Chez Benta, il ne s'agit pas de cet étourdissement de petites natures peu habituées à l'alcool et qui se dégrafent au dessert. Je déteste ce genre, pas vous ? Non, elle connaît plutôt des ébriétés de grand calibre, bien à la mesure de son caractère excessif. Pensez-y un peu : des beuveries, elle en a eu dans sa vie ! Et, aujourd'hui, on dirait que ça s'intègre tout naturellement à sa personnalité volcanique. Je dirais même plus : ça lui donne parfois comme un glacis impressionnant qui la transforme en un monument humain. Vous voyez ce que je veux dire ? Elle effraie peut-être un peu, par moments, parce que l'alcool réveille en elle des énergies supplémentaires. Mais moi, si vous voulez, j'ai appris à me familiariser avec ça.

Et ce jour-là, à l'hôpital, cette femme invraisemblable qui ne supporte aucun obstacle à ses désirs souhaitait voir la dépouille : on a voulu l'en empêcher, elle a passé quand même. Comment ? Eh bien, vous ne me croirez pas, tout simplement à travers la vitre ! Je n'invente pas, c'est la pure vérité, je vous l'assure. Elle a cassé la glace et, emportée par sa colère royale, s'est frayé un chemin, a bousculé le médecin et les gardes, tous figés de stupéfaction.

Elle s'est approchée de la morte, l'a enveloppée dans ses bras et, tout en pleurs, l'a assise dans son lit. Elle lui a parlé, tantôt avec tendresse, tantôt avec rage, comme à une poupée.

Soudain, comme prise d'une crise de nerfs, elle a soulevé le corps et l'a enlevé. Une sorte de furie l'animait. Les témoins la craignaient. Aussi incroyable que cela puisse paraître, elle a réussi à sortir de l'institution avec la morte dans les bras. Vrai comme je suis là ! C'est du vécu que je vous raconte. Je ne fabule pas. La réalité dépasse la fiction une fois de plus.

Dehors, elle s'est accroupie dans l'herbe, à l'entrée de l'hôpital, et a susurré à l'oreille du cadavre en le berçant. Par moments, elle lui caressait la tête ; à d'autres, lui tapait au visage pour la réveiller.

Un médecin s'est pointé. Elle l'a assommé d'un coup de poing. Les yeux lui sortaient de la tête. Elle écumait. Elle délirait.

Finalement un groupe d'une bonne dizaine d'hommes est venu l'arraisonner. On a réussi, avec les plus énormes difficultés, tant sa résistance était durable, à lui donner une injection qui l'a calmée.

Elle veut mourir, elle aussi, maintenant. Elle est seule au monde. Elle cherche à reprendre contact, bien en vain, avec tout ce qui lui reste de famille : ses enfants. Je la comprends.

Les voisins compatissent un peu : à ma demande, ils lui ont offert de petits cadeaux pour la consoler. Moi, j'essaie de faire de mon mieux pour la soutenir. Je lui ai donné ce à quoi je tenais le plus : mon téléviseur. Depuis que j'ai produit ce geste, elle m'adore littéralement. Elle m'invite tous les soirs à grignoter avec elle et à prendre une bouteille. Je lui prépare des douceurs de temps à autre. Je ne peux pas refuser ma présence à quelqu'un d'aussi seul. Nous regardons en silence les images défiler sur le petit écran en sirotant notre rouge. Et après, nous bavardons jusque tard dans la nuit.

Comme elle a gardé aussi provisoirement l'édifice voisin pour se faire un peu plus d'argent, elle se plaignait récemment d'un surcroît de travail. Je lui ai offert de l'aider, la pauvre. J'ai peut-être l'air d'une vieille âme en peine, mais j'ai beaucoup de temps à offrir : et aujourd'hui le temps, c'est ce qu'il y a de plus précieux. Alors nous nous partageons les tâches d'un immeuble à l'autre. Les choses vont beaucoup mieux ainsi. Je suis tellement occupée que je ne suis presque plus chez moi.

Évidemment, cette compassion m'a valu le rejet de la part des gens d'ici. Ils ont commencé à me snober. Ça ne fait que confirmer ce que j'ai toujours pensé d'eux. On prétend que j'ai trempé dans cette affaire de la mort de Violetta. Pourtant je n'y suis pour rien, c'est l'évidence. Vous pourrez constater par vous-même leur degré de méchanceté. Mais l'histoire de Violetta m'a marquée, je dois l'avouer. Ces choses-là, on ne les oublie pas.

Madame Cauche, en particulier, est très dure avec moi, surtout depuis que je me suis moquée de son chapeau ridicule. Ah ! celle-là, ce qu'elle est insupportable ! Imaginez-vous que, l'autre jour, elle est allée visiter le logement à louer, juste un peu avant que vous veniez, alors qu'elle n'a pas du tout l'intention de déménager. Vous voyez le genre ! Méfiez-vous d'elle, c'est la commère du quartier. Elle a commencé à colporter des histoires à mon sujet. Elle ne supporte pas qu'une « dame des étages », comme ils disent ici, se tienne au rez-de-chaussée avec la concierge. Qu'est-ce que ça peut bien faire, vous pouvez me le dire ? Ça fait de la compagnie à Benta et, de cette façon, je peux l'aider peut-être à moins boire. Mine de rien. Progressivement. Hein ?

Vous me paraissez très compréhensive. Je crois que nous allons bien nous entendre. Allez ! madame Oliver, je dois vous laisser maintenant, parce que j'ai les escaliers à nettoyer, et il faut que ce soit terminé avant la fin de la journée.

* * *

Tiens ! madame Cauche ! Bonjour ! Figurez-vous que je viens de faire connaissance avec la nouvelle locataire du deuxième, madame Oliver. Pas tellement sympathique, savez-vous, si vous me permettez de m'exprimer directement. Elle ne dit jamais un mot et vous écoute avec l'air de ne pas vous écouter...

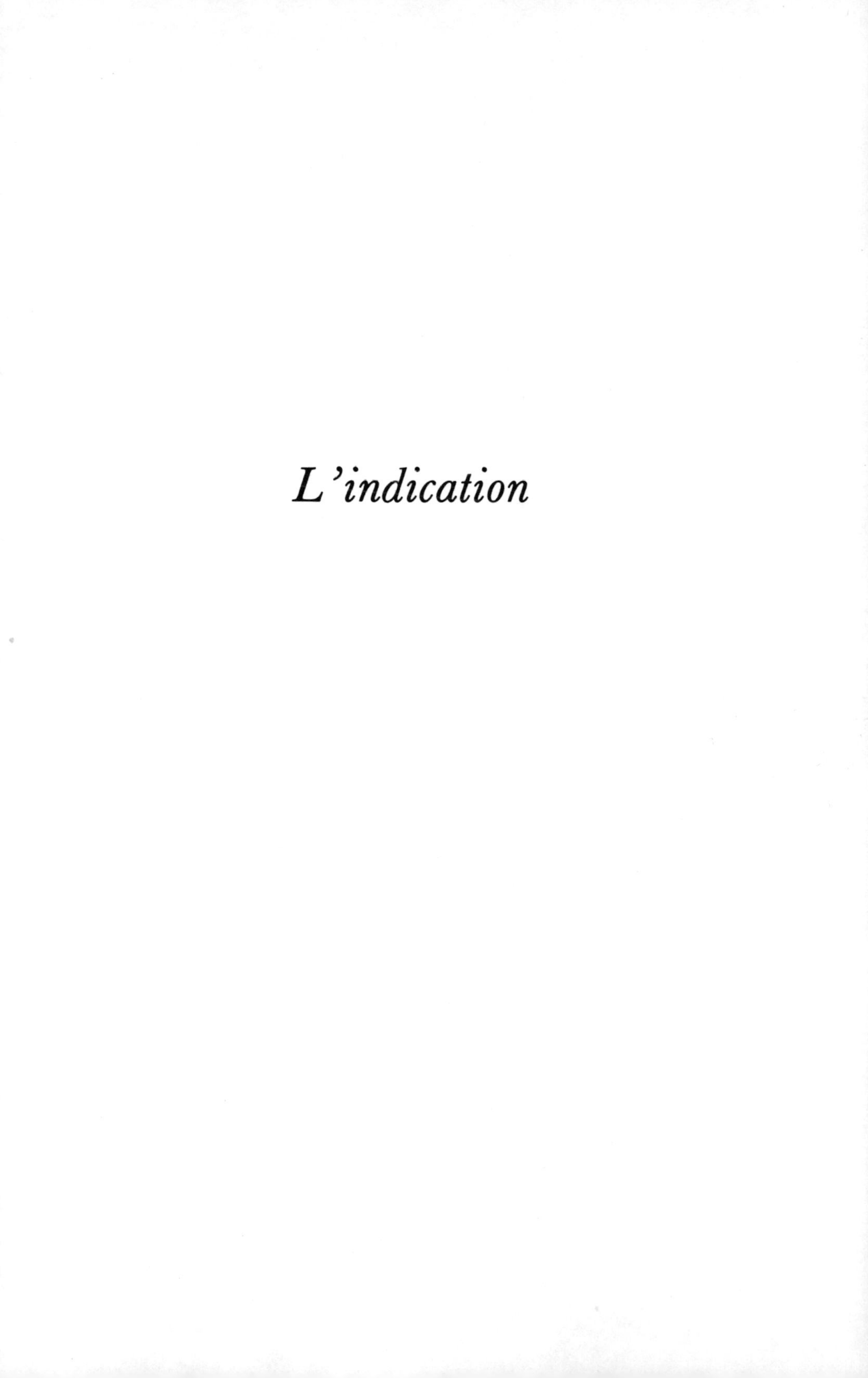

L'indication

« — Je suis content, m'interrompit-il, de n'avoir rien compris à ce que vous disiez !

Dans mon excitation, je lui dis très vite :
— Votre contentement m'est justement l'aveu que vous m'avez compris ! »

Kafka, *La Muraille de Chine*

Ce que vous me demandez là n'est pas simple à expliquer, monsieur, voyez-vous. Parce que tout cet édifice est fort complexe. Il a été savamment conçu. On en a confié l'architecture à des étrangers qu'on a dû payer très cher. Je ne vous dévoilerai pas leurs noms, c'est inutile, mais des professionnels du plan comme eux, il n'y en a pas beaucoup, vous pouvez me croire. Pourquoi pensez-vous qu'on a engagé quelqu'un tel que moi, en permanence, à ce poste de renseignements ? Eh bien, parce que cet immeuble ultramoderne est on ne peut plus complexe. Il s'agit d'un véritable labyrinthe : je n'ai pas d'autres mots pour nommer cette construction intelligente, terriblement intelligente, trop intelligente.

Pour accéder à n'importe quel lieu, et plus particulièrement à l'endroit précis que vous cherchez, il faut quasiment, ma foi, être initié aux secrets de la structure d'ensemble. J'ai mis moi-même un temps indéfini à la saisir, vous savez. Et je travaille ici depuis l'inauguration de ce bâtiment. Ça remonte à cinq ans. Alors vous imaginez combien de personnes égarées j'ai vues, et des plus futées en plus, je vous l'assure. On apprend d'ailleurs vite à déceler dans le regard des visiteurs qui se perdra et qui se débrouillera. Mais je ne vous retarderai pas davantage. Je vous sais pressé, c'est naturel. Aussi vais-je répondre tout de suite à votre désir et vous indiquer le lieu où vous souhaitez aller. Si vous me suivez avec soin, vous y arriverez facilement.

Voici : vous marchez d'abord vers la droite, et... vous voyez la première porte à gauche là-bas ? Bien. Oubliez-la. Tournez plutôt votre attention vers celle qui lui est immédiatement juxtaposée. Vous l'avez repérée ? C'est celle-là que vous prendrez. Et ce faisant, vous mettrez pied dans un vaste local vide, sans meubles : on l'appelle la salle des pas perdus. Ne me demandez pas pourquoi, je ne le sais pas vraiment moi-même. On la transforme de temps à autre en lieu de colloques savants. Et dans ce cas, on l'aménage en conséquence, on y dispose le mobilier adéquat et on y filtre minutieusement l'entrée. Les plus éminents conférenciers du monde s'y réunissent. Il s'y brasse des affaires majeures. Il s'y prend de grandes décisions. Je suis bien placé pour en avoir vent. Vous n'avez pas idée de l'importance de cette enceinte, pourtant en apparence si insignifiante comme vous le verrez lorsque vous la traverserez. Ne vous laissez cependant pas trop distraire par la malpropreté qui peut y régner en ce moment. Un congrès vient de s'y tenir et a pris fin la nuit dernière justement. On a commencé à enlever des choses, mais on n'a assurément pas encore eu le temps de tout nettoyer. Vous aurez l'impression, désagréable, d'être dans un théâtre désert, comme après une représentation, au milieu d'un décor qu'on démonte. C'est immense, vous le constaterez vous-même, au point de conduire au vertige et de brouiller l'orientation. Aussi dois-je vous conseiller de prendre garde : dès que vous atteindrez cette pièce, une seule attitude s'impose à vous : la traverser vite en allant droit devant vous. C'est fort simple. Mais une seconde de distraction et vous pouvez dévier : alors vous ne savez pas où ça peut vous mener.

Vous avez compris ? Une fois dans la salle des pas perdus, vous vous dirigez tout droit vers une majestueuse porte bleue à double battant. Elle vous frappera. On la nomme ici, pour blaguer, l'entrée du paradis. C'est à cause de la couleur. Vous ne pouvez la manquer. Vous vous dépêcherez d'atteindre cette issue. Vous l'emprunterez. Vous découvrirez que ce seuil au nom céleste donne en réalité sur un corridor ténébreux. Vous le suivrez, en épousant son parcours en L, jusqu'à ce que vous atteigniez une série de douze portes identiques, six de chaque côté du couloir. Vous vous arrêterez à la cinquième porte de droite, à la cinquième porte de *droite*, vous me suivez ? C'est-à-dire à l'avant-dernière. On l'appelle ici la « Quintessence ». Ne me demandez pas pourquoi. La cinquième, c'est facile à retenir : pensez aux cinq sens ou aux cinq membres du corps (jambes, bras, tête).

La cinquième, vous avez noté ? Ne vous trompez pas, prenez garde. Car la voisine, la quatrième, mène vers les services communautaires d'imprimerie, de reprographie, de cacographie, d'idiographie, et j'en passe parce que je ne les connais pas tous tant ils sont nombreux et variés. Affolant, ce lieu : un écheveau incompréhensible, et, en plus, c'est un enfer de machines bruyantes à rendre sourd. En outre, les gens, là-bas, sont beaucoup trop affairés pour s'occuper de vous. Un jour, un homme, qui s'y était égaré, a perdu connaissance au beau milieu de la place. Cette faiblesse soudaine s'expliquait par un excès de fatigue. Ça peut arriver à n'importe qui. Eh bien, il a fallu longtemps avant qu'on ne le remarque.

Vous vous imaginez la scène ? Je vous le dis : la mécanique absorbe totalement les travailleurs de ces services. Ils oeuvrent dans la haute précision. Ils sont pratiquement prisonniers de leurs machines. On ne peut pas, vous le comprenez, leur demander d'être tout entiers à leurs tâches et, en même temps, de se charger des visites inopinées. Là-dessus, d'ailleurs, ils ont à obéir à des ordres stricts. Alors voilà pourquoi ils vont vous laisser tourner en rond si vous échouez là. À moins qu'on ne vous estime louche, et, dans ce cas, les traitements les plus irrespectueux vous attendent, croyez-moi. Bref, j'en ai assez dit pour vous convaincre de ne pas confondre la quatrième porte avec la « Quintessence », comme on l'appelle.

La sixième, elle, c'est pire encore : elle conduit directement aux étages inférieurs et au monde inintéressant des chaudières. Il s'agit d'un lieu parfaitement inhumain et, vous le savez d'instinct, interdit au public. Si vous vous y aventurez par mégarde, vous risquez, d'une part, de rester pris dans des dédales et dans un réseau inextricable de tuyaux gigantesques ; d'autre part, si l'on venait à vous voir, d'être arrêté immédiatement et mis à la question, voire de subir des coups — tout cela pourrait vous troubler pour rien. Vous ne me croyez pas ? Vous pensez que j'exagère ? Essayez seulement d'y mettre le pied... Non, mon ami, c'est votre affaire, mais vous perdez votre temps et vos énergies, je vous l'assure. La cinquième porte, c'est tout ce que vous avez à retenir, pas la sixième, pas la quatrième.

Pas la troisième non plus : celle-là, elle protège le domaine du concierge. Il habite ce repaire toute l'année, vous savez, sans jamais prendre de vacances. Quel homme curieux ! Vous pourriez être tenté de faire appel à ses services, ce n'est pas impossible. Mais aussi bien vous prévenir... — approchez-vous, s'il vous plaît, je ne veux pas qu'on m'entende... — n'attendez de lui aucune aide. Surtout sur son territoire privé. Comme travail, il a un rôle syndicalement très limité et qui consiste à gérer les poubelles de l'immeuble. Ça s'arrête là. Ne lui demandez rien d'autre. Même un renseignement, il ne vous le communiquera pas. Pourquoi ? Parce qu'il empiéterait sur mon propre rayon et un grief tout à fait justifié lui tomberait dessus dès le lendemain. Mieux vaut éviter de le déranger et de nous causer des ennuis. Si vous frappez chez lui, vous serez presque automatiquement impliqué dans une histoire fâcheuse. Vous agirez bien comme vous le déciderez, mais moi je ne fais que mon devoir en vous avertissant.

La cinquième, la cinquième : voilà celle qui doit vous intéresser. Avant de l'atteindre, la seconde vous intriguera peut-être à cause des rumeurs étouffées que vous y entendrez si vous vous en approchez. Elle donne accès à un salon luxueux réservé aux cadres supérieurs de l'entreprise et à des réunions mystérieuses. Impossible d'y pénétrer : il faut connaître le code pour qu'on vous ouvre. Vous aurez envie probablement de coller votre oreille contre la serrure pour essayer de saisir ce qui s'y dit : vous n'y arriverez pas. Tout est capitonné précisément pour empêcher les risques d'indiscrétion. Seul passe un vague bruit de voix sans signification. Inutile de vous y attarder. Je vous donne ces précisions uniquement parce que vous êtes pressé et pour que vous gagniez le plus de temps possible.

Vous vous interrogez assurément davantage sur la première de ces six portes, je le vois dans votre regard. Je crois même apercevoir que vous lui imaginez toutes sortes de fonctions plus ou moins vraisemblables. Elle prend de l'importance à vos yeux parce que c'est elle que vous croiserez avant toutes les autres, c'est normal ; et aussi parce que je la commente en dernier, ce n'est pas négligeable. Mais je crains bien de vous décevoir, car, en réalité, elle se caractérise par sa parfaite insignifiance. Elle cache simplement un placard. Vous ne vous en doutiez pas, n'est-ce pas ? Certains prétendent que cet espace de rangement contient en fait, et là tenez-vous bien, le coffre-fort de l'immeuble... Rien de plus incertain, je vous l'assure. De nombreuses personnes s'inquiètent de ce trésor et chacune y va de sa version à son sujet. Je pourrais vous les raconter en détail si vous le désiriez, mais ne nous abandonnons pas au plaisir de digresser et restons-en à l'essentiel : derrière la première, un lieu sans issue.

Donc revenons à la cinquième. Voilà celle que vous devez retenir. Vous l'emprunterez. Elle débouche, vous le verrez, sur un petit couloir coupé perpendiculairement par un autre corridor. Au bout de quelques pas (une vingtaine peut-être, un peu plus en vérité, une trentaine environ ; enfin vous calculerez vous-même), une fois arrivé à la croisée du second passage, vous irez sur la gauche. Attention ! pas la droite ! C'est l'administration : vous aurez des ennuis et moi aussi. On n'hésiterait pas à m'accuser de vous avoir incité à vous y rendre sans autorisation. Mais il y a là une charmante personne d'un certain âge, la secrétaire du directeur général. Si jamais vous la voyez, transmettez-lui mes salutations. Elle appréciera cette marque de délicatesse. Elle a cependant un petit défaut dans les circonstances : elle aime bavarder... Alors, vu vos besoins urgents, prenez garde de bien tourner à gauche. Vous avancerez ensuite jusqu'au premier grand arc. Juste à côté, se dégagent de multiples petites ouvertures fascinantes. Ne vous laissez pas attirer par elles. Elles desservent banalement des bureaux. Le grand arc, lui, offre un escalier. C'est bizarre, mais c'est comme ça. Je vous l'ai dit, cet édifice est absolument étonnant. Vous monterez les marches jusqu'à l'étage. En sortant de la cage, piquez à droite, vous remarquerez deux autres portes énigmatiques, peintes en bleu une fois de plus. On les appelle, elles aussi, les seuils du paradis, mais pour des raisons différentes. Celle de droite donne, au bout d'un cheminement trop compliqué à vous expliquer pour le moment, sur une terrasse supérieure. Je vous y conduirais si vous le vouliez : le panorama dont on y jouit est unique. On embrasse la ville et même, par beau temps, la proche banlieue dans son entier. Ça vaut le déplacement. Mais à cause de vos besoins pressants, vous irez certainement sur-le-champ à celle de gauche. C'est là, enfin, que vous trouverez ce que vous cherchez, c'est-à-dire le petit coin. Ma défunte mère l'appelait le « petit coin de rêves ». Ah ! comme elle avait raison !

Vous voulez que je résume peut-être ? En quelques mots, hein ? D'accord. Deuxième à gauche ; ensuite porte du paradis, face ; cinquième à droite ; premier grand arc à gauche ; à l'étage, droite ; et finalement gauche. Allez ! J'espère que vous avez bien saisi. N'hésitez pas à me faire répéter si un point vous paraît obscur. Ou revenez me voir si vous ne trouvez pas. Je suis là pour clarifier, c'est mon métier. Mais je pense que vous vous débrouillerez, je le vois dans votre regard. Et je comprends aussi votre impatience, je sais ce que c'est. Allez maintenant, bonne chance ! Et encore une fois, revenez me voir si vous trouvez.

L'exalté

« Perdre le Midi quotidien ; traverser des cours, des arches, des ponts ; tenter les chemins bifurqués... »

Victor Segalen, *Stèles*

Monsieur le Juge,

J'aime la disponibilité molle des choses, la bonté du jour versée sur le désir, la verdeur des corps nus devant les murs blancs, le ganté des voix qui se touchent, le tremblant jaune du présent, les corolles dilatées près des branches oscillantes et le tendre intime des pierres.

Je vis au pays de la dépense et j'aime son sol mouvant, fondement de toutes ailes.

Voyez-vous là les mouettes aimantées par la terre ? Et là leurs buttes peuplées d'émeutes minuscules ?

Entendez-vous leur cri humide et triste qui est appel de cimes ?

C'est mon pays, le pays de l'Éclairement.

Oui, monsieur le Juge, j'y travaille.

J'aime surtout manipuler la matière inerte, elle ne se

débat pas sous l'acier. Et je fréquente les trous dans le tuf profond du monde pour y débusquer des clartés.

J'habite au-delà du point, dans un rêve de virgules vertes, un écarté chef-lieu de lumière, livré aux faveurs du feu, par la montagne isolé, où tous les chemins s'ouvrent vers le large.

Il y fait si facile, il y fait si continuel.

Je n'y ai pas d'adresse, monsieur le Juge, ça ne veut rien dire, vous le comprenez, c'est un territoire sans cadastre, un ailleurs de transparences, simplement attardé d'horizon, à portée du mirage, sans autres amers que la mer, sans autres limites que l'écume de ses rives et le plein vide du ciel.

C'est un pays de moisson et de pâmoison aussi où les désirs s'abandonnent à l'ouatée longue assouvissance, au coeur des végétations muettes et complices.

Voyez-vous là la marée obscène octroyer la pousse des mâts et le gonflement des voiles ? C'est partout rage du nu, orage du rut, forage de la nuit, déflorage de tous les fruits.

Pourquoi riez-vous ? Je ne tropicalise pas à plaisir ! Je ne témoigne pas en touriste ici, messieurs dames ! Je parle de ma vie présente, chauffée à blanc, dans le vertige de la bascule et maintenue dans son propre paroxysme, inactuelle à souhait, loin des clapotements du quotidien, des mystifications ambiantes et des petits épuisements ricanants à court terme, loin des propriétés, des enclos, des mesures, loin des rythmes communs et des pontes mécaniques de concepts.

Je vous parle d'une pensée élastique, je vous parle d'une existence ondulatoire, fondée sur le saut, qui escamote les cloisonnements et les limites. Elle bouge, tourne, bondit, s'arrête, repart, traverse, dépasse, déploie, se déploie.

Elle va le train de son sang. Elle va le train de son sens.

Qui respire à cette hauteur, monsieur le Juge, s'enrichit d'étincelance. À tout instant, on y vit — y vit-on, tant le temps s'oublie ? — on y vit l'illuminée gustation forte de l'univers.

Là, le corps innocent, lavé par le jour, dit son aise, à son aise, électrisé à l'ombre des palmes magnétiques, ou en ressuiement au soleil égouttant ses songes d'eau. Ou encore il marche, requis radar aux confins des possibles, la longue lèvre tremblante de la mer embrassant chaque pas, excitant chaque pas, et lui offre à boire de ses millions de bouches sa salive salace.

En cet afflux beau d'espace, monsieur le Juge, il ne s'agit souvent que de regarder, point même d'effort pour proférer, et d'écouter, avec une certaine intensité, la puissance du donné, pour que le clair se manifeste.

Vous êtes-vous déjà ouvert à toutes les propositions du dehors, sans vouloir obtenir, dominer ou défaire, mais simplement pour exalter ? C'est ce que je fais, monsieur le Juge. J'erre sans but, vibrant avec luxe, en vue de quoi que ce soit. N'importe quoi devient moi et toute la poussière des paysages se dépose sur mon habit. Voyez !

Vous êtes-vous déjà senti entraîné par un seuil insituable, à deux pas pourtant, dont la fréquentation est exil ? Voilà ce qui m'arrive. Je vais dans l'irrepérable. Et rien ne m'arrêtera. Je m'échapperai toujours, c'est ma devise. Je serai sans cesse en quête de sens nouveau, le pied léger, indécidé, jamais distrait de l'horizon, allant vers là-bas, plus loin, plus loin, dans l'ivresse du dehors, par delà les petits hangars d'ici, de marche en marche, par vaux et monts, de paliers en paliers, plus haut, plus haut, vers d'autres plateaux, par delà le réel, traversant la matière, plus vite, plus vite, pour rejaillir, au bout de la course, éperdu peut-être, mais parcouru, éclaboussé de vide, ébouriffé d'éventement, avec beaucoup de caillots d'azur dans la chevelure et comme seule escorte le muscle de la lumière. J'irai jusque-là, s'il le faut, monsieur le Juge.

Cela suppose vigilance et travail, danger peut-être, peu importe. Je n'ai pas peur. Dans mon chef-lieu de nul lieu, je pioche avec toute ma sueur aux réservoirs de cailloux. Tandis que les pics tout autour s'assoupissent un à un dans l'hypnose extrême du midi, moi je veille, je veille, pendant des heures immenses.

Alors plus vastes sur plus de clartés se déplient les paupières, les papilles, les papiers aussi.

J'écris et j'écris sans arrêt, des pages et des pages, à la famille défunte et aux proches disparus. Attention ! ça ne veut pas dire personne ! Je leur parle de mes amis, de mes amis inactuels qui sont hommes de nul métier, hommes de mer ou de désert, hommes de soleil : tel gitan soufflant l'harmonica au pas des mules, tel rêveur en bout de péninsule, tel conteur blanchi par la craie des chemins, tel ramasseur d'agates et de coquilles, tel dénicheur de traces dans l'infini, tel amateur de sentiers perdus ou de senteurs d'iode, tel jouisseur qui passe ses journées dans les jardins poivrés en lavandier des corps, les caressant, les polissant comme des galets ou des aventurines.

Je leur parle de mes amis de paille, de mes amis à paumes ouvertes. Je leur évoque aussi mon païen pays où se bâtit la flamme, où tout semble battre éternel, où l'on vit en salamandre, le regard éclairé, le geste de pierre et grandi. Je leur décris cet ailleurs qui prend et qui suffit où tout a goût de faire part, où tout nous invite, dans la cuivrerie triomphale de l'éclairement, à la grande joie libre d'éprouver...

* * *

ON L'ENFERMA.

Les cadenas

« La vie est pleine d'absurdités qui peuvent avoir l'effronterie de ne pas paraître vraisemblables. Et savez-vous pourquoi ? Parce que ces absurdités sont vraies. »

Pirandello, *Six personnages en quête d'auteur*

Barthélémy est dans le vaste vestiaire de l'usine entre deux rangées de hautes cases métalliques. Sur sa table roulante, on voit un grand livre ouvert avec de longues colonnes de chiffres et une remarquable caisse remplie de cadenas fermés.

À la suite de nombreuses plaintes de vols, l'administration a décidé d'acheter 512 cadenas à combinaisons (ce qui supprime l'emploi des clés) pour les 512 cases de la salle. Le modèle choisi comporte un arceau en acier, bien sûr, et un boîtier de métal noir rond sur le devant duquel, au centre d'un cadran de chiffres, se trouve un bouton fléché rotatif (c'est là en quelque sorte la petite poignée d'ouverture qu'il faut actionner selon un code secret à trois composantes).

Depuis une semaine, Barthélémy pose ces cadenas à combinaisons selon une distribution réglée. C'est un travail qui exige une attention constante. Ces serrures mobiles se ressemblent toutes, mais chacune a sa personnalité propre et ses petites susceptibilités. Barthélémy s'en est vite rendu compte. L'ouverture est subordonnée à la correcte mise en place de la série de trois chiffres selon des manoeuvres déterminées. Par exemple, si son livre des formules indique pour le cadenas numéro B2119 la combinaison suivante : 34-17-18, cela signifie : un tour à droite jusqu'à 34 exactement, un grand tour complet à gauche jusqu'à 17, puis retour par la droite sur 18. Il suffit d'une légère fraction d'erreur et le mécanisme résiste. Il faut alors tout recommencer.

Au début, Barthélémy s'amusait en cachette à faire pivoter l'axe central et à écouter, l'oreille collée contre le petit ventre des appareils, le cliquetis très discret des bagues et des crans à l'intérieur. À la longue, il s'en est lassé.

Barthélémy doit soigneusement enregistrer dans son cahier toutes les attributions : par exemple, au cadenas C3612, avec son secret d'ouverture 21-4-19, correspond l'armoire 283. Et cela en se conformant aux colonnes intitulées respectivement NUMÉRO DE SÉRIE, COMBINAISON et CASE.

Barthélémy a passé ainsi toute la semaine à munir chacune des 512 cases de sa fermeture individuelle. Il en a les doigts en sang. Mais il est très fier de sa bonne besogne.

Il vient de terminer ce travail colossal il y a à peine deux jours, et voici qu'il reçoit l'ordre inattendu, d'un autre secteur de l'administration, d'enlever tous les cadenas qu'il a si patiemment accrochés. Pourquoi ? D'abord parce qu'il faut déplacer les cases afin de permettre de sérieux travaux de réaménagement dans la vieille salle malpropre et déprimante où elles logent. Ensuite parce qu'on en profitera pour les restaurer et les repeindre. Les plans des architectes ont enfin été acceptés après des mois de tergiversations et d'études en tous sens. Et le chantier s'installe dans une quinzaine.

Barthélémy prend alors sa tâche à coeur et consacre une autre semaine entière à enlever tous les cadenas à chiffres des 512 cases.

38 droite, 12 gauche, 17 droite ; 24 droite, 9 gauche, 13 droite ; on voit, chaque fois, la mâchoire mobile des appareils se libérer du pêne, s'ouvrir avec une certaine élégance tant Barthélémy y met un soin minutieux. Enfin, d'un coup de poignet habile, il fait tourner le crochet sur sa charnière, le dégage du demi-anneau du moraillon et dépose *délicatement* le cadenas ouvert dans sa caisse. Délicatement, pour ne pas qu'il se referme : il sait qu'il aura à le reposer et il n'aimerait pas être obligé de les rouvrir tous.

Ce geste, répété 512 fois devant les 512 cases identiques.

Une équipe entraînée de déménageurs musclés, en s'aidant d'un petit chariot pratique, a transporté un à un tous les compartiments dans une vaste partie de la cave de la bâtisse où des spécialistes s'occuperont à les rafraîchir un peu. Ils en ont effectivement besoin. L'administration a affiché une pancarte pour les ouvriers, sur laquelle la direction générale s'excuse des inconvénients causés par ce branle-bas qui ne doit durer qu'un mois.

* * *

Deux mois plus tard, les travailleurs de l'usine n'ont toujours pas leur espace de rangement. Ils sont encore obligés de se changer là où ils peuvent et de laisser traîner leurs affaires personnelles un peu partout. On trouve ainsi des vêtements de ville empilés ici et là, livrés aux poussières et aux saletés industrielles. Un beau matin, les hommes réagissent, c'est normal, et s'en plaignent aux patrons.

Ces derniers vont voir le contremaître et lui demandent des explications. La remise à neuf des cases n'a pas commencé et le vestiaire reste un immense chantier. La vérité, bien simple, est vite lâchée : il est impossible de respecter les échéances prévues en raison du manque de personnel et de l'augmentation des coûts. Alors, craignant une grève, l'administration décide de suspendre les travaux et de changer d'entrepreneur. En attendant de trouver une autre entreprise capable de fournir un devis raisonnable, on réinstalle les cases dans leur lieu d'origine pour que les ouvriers puissent en bénéficier.

En conséquence, on ordonne à Barthélémy de reposer les 512 cadenas selon la distribution qu'il a déjà arrêtée. En employé irréprochable, il essaie d'abord de suivre les instructions de l'administration à la lettre. Mais, comme les cadenas sont pêle-mêle dans sa caisse, il s'aperçoit vite qu'entreprendre de les repérer par leur numéro pour les faire correspondre à la bonne case constitue un travail absurde parfaitement inhumain et qui pourrait décourager un être plus entêté que Barthélémy si jamais on en dénichait un. Par conséquent, sans en souffler mot à personne, il reprend calmement à zéro tout le travail au grand complet. Il n'y a vraiment pas de meilleure solution.

On le voit ainsi chaque jour, dans un couloir du vestiaire avec sa table roulante, tantôt penché sur son cahier pour y lire une combinaison ou pour y inscrire de nouvelles données, tantôt fouillant dans sa caisse de cadenas ou manipulant les organes de verrouillage des cases, tantôt allant et venant de l'un à l'autre pour vérifier et revérifier. Les gestes se répètent et se superposent. L'arceau A5869 passe à la case numéro 408 et, d'un coup de paume, se referme sur son boîtier. Barthélémy enregistre dans une nouvelle colonne l'identité de l'armoire correspondante. Et ainsi de suite pour les 512 portes.

Sitôt cet exploit terminé, il procède à l'attribution officielle des espaces aux ouvriers en donnant à chacun un petit billet où il inscrit la combinaison.

* * *

Six mois plus tard, le nouveau contremaître arrive. Il a reçu la permission de faire transporter toutes les cases dans un entrepôt spécial pour les rajeunir entièrement. Durée estimée : un mois. Les travailleurs en sont informés. Ils contestent aussitôt. On négocie et on s'entend pour laisser aller à la restauration la moitié seulement du nombre total de cases. Lorsqu'on aura replacé cette partie, on enverra le reste. Ainsi les hommes pourront au moins partager à deux le même espace de rangement. C'est mieux que rien du tout.

À la suite de cette convention, Barthélémy reçoit l'ordre d'enlever les 512 cadenas et d'assortir par paires les attributions de cases. Cette fois, il décide de prendre son courage à deux mains pour oser protester auprès de la direction. « À mon sens, défend-il avec raison et avec toute l'onction dont il est capable, il suffit de retirer 256 cadenas seulement (les 256 premiers) et de donner à chaque ouvrier concerné (privé d'armoire) la combinaison qu'il aura à partager avec son collègue. »

Son argumentation convainc tout de suite. On le félicite même d'y avoir pensé.

Le torse bombé de vanité, Barthélémy retourne à ses rangées de cases : 21 droite, 6 gauche, 10 droite ; 38 droite, 3 gauche, 17 droite. L'organe de manoeuvre qui actionne l'arceau ouvrant n'a plus de secret pour lui. Ses gestes ont la précision du somnambule. La comparaison vient de lui. C'est qu'il en rêve la nuit. Il ne le dit à personne de peur qu'on ne se moque. Mais il se tourne et se retourne dans son lit d'un côté et de l'autre avec des chiffres plein la tête, comme si son corps était lui-même l'axe qui commande l'ouverture.

Pour remettre leurs codes aux hommes sans cases, Barthélémy doit repérer, dans la colonne appropriée de son cahier, les numéros d'armoires (parce que, bien sûr, ils n'y sont pas dans l'ordre) et marquer d'un X les nouvelles attributions.

Voyant que les signes s'embrouillent dans son livre, il retranscrit tout à neuf plus loin.

* * *

Au bout de quinze jours, tel que prévu, on remplace les cases vétustes par leurs soeurs rénovées. Cette opération s'étend sur près d'une semaine. Les ouvriers de l'usine pendant ce temps sont sans vestiaire. Barthélémy, lui, est tout entier occupé à enlever à mesure les 256 cadenas qui restent. Il a peine à soutenir la cadence, tant l'équipe de déménageurs est efficace.

Les 256 armoires restaurées sont tout alignées maintenant en bleu et reluisent de propreté. Barthélémy, avec une joie intérieure indicible (qu'il dissimule aux autres de peur, encore une fois, d'être tourné en ridicule), estime que ça valait le coup et que c'est là du travail bien réussi. Ce sentiment le dispose aussitôt à entreprendre de replacer les 256 nouveaux cadenas. Il s'installe près de sa table roulante avec allégresse. Mais il découvre aussitôt un problème qui éteint son enthousiasme et le jette aussitôt dans la plus grande angoisse. On a repeint le métal extérieur au jet et la peinture a stupidement effacé tous les numéros des cases, de telle sorte qu'il n'a plus de repère pour y apparier une serrure mobile.

Il va en parler à l'administration en tremblant. Parce qu'on peut le tenir responsable de cette inattention. Et effectivement, il est mal reçu. On se dit fatigué d'être dérangé pour des vétilles. Qu'il prenne ses responsabilités et qu'il se débrouille. Il n'a, au fond, qu'à gratter les petites plaques en question et le tour sera joué. Mais les ouvriers ? Quoi, les ouvriers ? Ils n'auront pas de cases.

Eh bien, qu'on leur laisse l'usage libre du vestiaire le temps qu'il faudra, c'est tout !

Barthélémy s'exécute. Pendant une autre semaine, c'est le désordre total : les hommes vont et viennent, mêlés aux travailleurs du chantier. Barthélémy, lui, juché en équilibre précaire sur un mauvais escabeau, s'applique à enlever la peinture sur les 256 minuscules plaques couvertes. Il s'aperçoit vite évidemment, en effectuant cette corvée, que les cases n'ont pas été disposées dans l'ordre numérique...

Il hésite plusieurs jours, au point de ne plus en dormir, avant de se risquer à alerter l'administration. Il s'y décide à la fin, et cette fois, on juge le problème sérieux. On avise le contremaître de cette malencontreuse erreur et on le charge de faire rétablir la situation dans les plus brefs délais. Il faut quarante-huit heures avant que tous les compartiments soient replacés les uns à la suite des autres, sous la surveillance personnelle et affairée de Barthélémy.

Ensuite, sans attendre d'autre avis, Barthélémy se replonge dans l'épopée des cadenas, selon le même principe qu'il a réussi à défendre auprès de la direction : 256 appareils à accoupler et 256 combinaisons à distribuer par deux aux 512 ouvriers. Il en est rendu à sa quatrième colonne CASE dans son livre où tout lui semble clair et précis, malgré la complexité de la chose.

* * *

Les travaux dans la salle sont terminés lorsque la moitié manquante des cases arrive. Les plaques, cette fois, sont intactes, des instructions spécifiques ayant été données aux peintres. Tout est disposé dans l'ordre numérique. Barthélémy y veille lui-même. Il a tout intérêt. Le vestiaire compte maintenant huit rangées de soixante-quatre cases. C'est un chef-d'oeuvre d'équilibre et d'uniformité.

Mais Barthélémy ne prend pas le temps d'admirer la beauté de l'ensemble : le bien-être des ouvriers le préoccupe davantage et l'administration le presse. Son casse-tête final consiste à opérer une redistribution générale des cadenas aux 512 cases. Pour que chaque homme ait sa combinaison secrète, il doit d'abord enlever les 256 cadenas partagés déjà en place. Cela va de soi. Il économise beaucoup d'heures et d'énergie en prenant ses responsabilités et en mettant à contribution son ingéniosité : dans cet esprit, il décide en effet d'intervertir tous les cadenas d'une rangée avec ceux d'en face. Il fallait y penser. Cet échange symétrique concerne trois rangées seulement. Dans le premier couloir, il procède avec méthode à une opération initiale : il ouvre tous les cadenas des deux côtés (c'est-à-dire 128) en les laissant pendre à leurs serrures.

Satisfait d'avoir inventé ce système et content de son entreprise inaugurale, il va s'en vanter à ses collègues à la pause café. De mauvais plaisants en profitent pour aller refermer à son insu tous les cadenas fraîchement déverrouillés.

De retour de sa pause, Barthélémy constate l'idiote plaisanterie et ne peut s'empêcher d'en pleurer. Juste quelques larmes pour se défouler un peu. Il a les mains couvertes d'ampoules à force de tourner et retourner le bouton des combinaisons. Il n'en peut plus. La fatigue va venir à bout de ses nerfs, si ça continue. Mais il n'a pas le choix. Il se remet au travail, ouvre à nouveau ses cadenas et effectue avec célérité son échange, de case en case, cette fois au fur et à mesure. Ensuite, il inscrit en vitesse, deux par deux, le numéro des armoires dans son registre à la cinquième colonne CASE. Et cela, pour les 192 portes des trois premières rangées.

Pendant plusieurs jours interminables, il dialogue avec sa table roulante et s'occupe en dernier ressort du reste des cases : poser le cadenas, enregistrer le numéro de plaque dans le cahier. Il donne enfin à chaque ouvrier son espace de rangement cadenassé. Mais il a dû se tromper quelque part, soit en recopiant les combinaisons lors de son travail de remise au propre, soit en déplaçant les cadenas dans son jeu d'échange, car les hommes n'arrivent plus à ouvrir leurs serrures.

La direction en est avisée. On demande à Barthélémy de faire en sorte que cette erreur soit réparée. Il réussit à repérer la petite faute en passant au peigne fin les multiples colonnes et en comparant avec la mise au net, de même qu'en vérifiant les transferts opérés dans les trois premières rangées. Il avait sauté une ligne dans la transcription des codes et cette inattention avait complètement brouillé son système.

Cela étant, Barthélémy reçoit l'ordre d'enlever tous les cadenas (le numéro du boîtier permettant finalement de retrouver la combinaison) et d'en vendre un à chaque ouvrier.

Cette décision prise, l'administration, n'ayant plus besoin de Barthélémy, le congédie.

On organisera, quelques jours plus tard, une petite fête pour inaugurer le nouveau vestiaire et pour remercier les ouvriers (que les patrons appellent désormais tactiquement « collaborateurs ») de leur patience pendant les travaux.

En voiture !

« Celui qui se brouille facilement avec le monde est aussi celui qui se réconcilie le plus vite avec lui. »

Hölderlin, *Hypérion*

À la campagne, un matin d'été, je surgis de ma maison en cherchant les dénominations. Cela m'arrivait souvent depuis quelque temps. Mais cette fois, la chose avait atteint des proportions inquiétantes. Les mots me manquaient pour désigner les mouvements les plus élémentaires autour de moi et je me sentais désormais incapable d'identifier, de classer, de topographier..., bref d'appeler les choses par leurs noms.

Je surpris soudain l'univers en flagrant délit d'insignifiance et connus un recul étonné par rapport au réel. J'en fus angoissé un bon moment. On peut appeler ça une dépression. Ces choses-là nous tombent dessus sans que nous nous en rendions trop compte. Nous ne savons plus alors comment mettre un pied devant l'autre, nous ignorons où nous nous en allons, qui nous sommes, ce que nous avons fait dans cette vie, nous cherchons par quel bout commencer, nous devenons blancs et comme transparents. C'est ce qui m'arrivait.

Ma formation en philosophie m'avait appris à maîtriser le monde à coups de phrases. Or là, tout d'une traite, l'essentiel m'échappait et s'offrait sous l'apparence d'un dehors clos. Je ne vivais plus en complicité avec l'espace. Cheveux ébouriffés, face glabre, lèvres électriques, je me voyais bêtement incapable de penser. Cette impuissance me paraissait hautement invraisemblable. Pour m'en sortir, je m'en remis aux sens, suivant une vieille habitude qui m'avait sauvé de plusieurs impasses dans le passé : je humai l'atmosphère pour vérifier le degré de sa réalité ; déployai mes narines et emplis mes poumons de l'air matinal ; humectai mon index de salive, le pointai vers le ciel pour étudier la direction du vent. Un peu de gymnastique rétablit la circulation : quinze mouvements des jambes, quinze du tronc, quinze des bras ; cela suffit pour huiler la conscience et la raviver (elle tenait à bien peu de chose, je le savais).

Après ce petit rituel, je tentai, comme je le fais toujours dans des moments charnières tels que ceux-là, de me livrer à une pratique spéciale du paysage que je résume dans un verbe : *béer*. Chaque décor recèle un accent personnel qui lui confère un sens et une valeur. Béer, c'est ainsi une sorte de flânerie ressourçante qui me met, pour un temps déterminé, en état d'accueil au dehors. Béer, ça consiste à l'éprouver ce dehors, à me monter mentalement une collection d'impressions, à débusquer dans l'espace certaines révélations sur l'être. Bref, béer, c'est pour moi une façon de philosopher, une manière de connaître cette élévation de l'esprit si indispensable à ma vie.

Or, l'opération « béer », ce jour-là, échoua. De mon autopsie du réel, je ne retirai que deux éléments dérisoires, pittoresques certes, mais parfaitement futiles : un oiseau buvait le lait du chat sur le rebord d'une soucoupe ; d'autres moineaux perchés sur des piquets piaillaient comme pour dire que ça ne se faisait pas. C'était tout ce que mon observation philosophique m'avait rapporté ! Je n'en revenais pas ! Comment mon examen pouvait-il contenir aussi peu de provisions spirituelles ? Pourquoi le monde, auprès duquel je manifestais mon acte de présence, offrait-il si peu de prises à l'intelligible ? Il m'apparut, dramatiquement, que cette raréfaction de signification, je ne devais l'attribuer tout compte fait qu'à ma propre pauvreté intérieure.

Devenais-je gâteux ? C'était bien possible. Pourtant je me sentais encore jeune pour un homme à la retraite. À vrai dire, une cause affective bien humaine pouvait plus simplement expliquer cette inertie : je venais de recevoir un appel de l'hôpital qui m'avait sorti du lit et mis dans tous mes états. Ma mère avait été hospitalisée en ville, très loin, depuis six mois, pour une maladie de vieillesse. Je craignais chaque jour de la perdre. J'étais beaucoup attaché à elle : fils unique, j'ai vécu seul en sa compagnie pratiquement toute ma vie, mon père ayant disparu tôt.

Au début de sa convalescence, je me rendais à l'hôpital voir ma mère toutes les semaines. Et peu à peu, j'en vins à espacer mes voyages aux quinze jours, puis aux mois. Je ne pouvais pas supporter le triste spectacle de cette personne chère, déformée par l'arthrite, souffrante et impotente au lit.

Pour compenser, je lui écrivais cependant souvent. Mais les yeux maternels avaient faibli et on la déclara finalement aveugle. On était obligé de lui lire à haute voix mes lettres. Devant ce fait, j'avais décidé de changer mon moyen de communication (tant je n'étais pas à court d'idées) et j'avais imaginé d'enregistrer mes missives sur bande magnétique. Juste la veille du fatidique appel, j'avais terminé ma première lettre-cassette d'une heure pour elle. De cette façon, m'étais-je dit, elle gagnerait plus d'indépendance par rapport à l'infirmière, et pourrait réentendre la bande autant de fois qu'elle le désirerait.

Ce jour-là, après avoir roulé un oeil vide sur l'horizon, cet horizon inadmissiblement mat qui ne me proposait plus aucun rythme d'existence, j'empruntai la route à pied en courant. Il fallait se dépêcher. Ma mère réclamait ma présence d'urgence, m'avait-on dit au téléphone. Son état se dégradait. J'allais peut-être la perdre d'une heure à l'autre. Mais, à tout hasard, j'avais apporté dans mon sac de voyage ma lettre-cassette et un magnétophone. Si elle avait encore tous ses esprits, avais-je pensé, ma mère serait assurément ravie de ma nouvelle idée.

La splendeur du jour naissant poudroyait sur la route. Une lumière blanche, très vive, accentuait le relief des choses. Je me souviens. J'avais dû ralentir ma course et finalement l'arrêter. Pour respirer un peu. Pour goûter aux faveurs matinales du moment. Le réel, tout d'un coup, semblait s'offrir plus abruptement que d'habitude. Du moins, une apparition incongrue m'avait éminemment frappé : un étrange tournesol tout à fait solitaire émergeait d'un immense champ de foin au loin et brillait comme un spot. Je contemplai ce surgissement insolite avec étonnement. Le spectacle était digne des plus belles photographies du monde. J'enjambai une clôture pour m'approcher du tournesol. Plus j'avançais, plus je croyais voir, dans sa face ronde au centre des larges pétales, le visage de ma propre mère ! Je m'enfonçai davantage dans l'herbe haute, atteignis la fleur, l'inspectai avec curiosité, l'arrachai brusquement et l'emportai avec moi. Pour l'offrir à ma mère. Elle adorait les tournesols.

Je continuai ma course. Les autos paraissaient se traîner sur l'asphalte. Le monde évoluait au ralenti. Mes jambes, elles, s'agitaient, à pleins talons. Je marchais visiblement trop vite. Au risque de tomber. Et d'abîmer ma grande fleur.

Et soudain, je me souviens, je dus changer de direction, tant les chemins nous conduisent partout. Il faut leur faire confiance. En les empruntant, on croit se diriger vers un but précis, et tout à coup, béatement, on se retrouve ailleurs. On les perçoit souvent comme fonctionnels et insignifiants. En fait, ils marmonnent du sens à chaque méandre. Ils se déploient telles des pistes ouvertes sur la dérive infinie. On se pense fort et maître sur les routes. À tort ou à raison, qui le dira ? On avale le ruban du pavé, on engloutit le paysage, on brûle l'horizon, on inhale tous les parfums de la terre, on absorbe diverses densités d'atmosphère, on s'imbibe de pluie, on éponge les lacs et les rivières, on mâche les nuages, on dévore les montagnes, on déchire les villes, les murs, les maisons, on emporte des façades et des visages, on déshabille les gens, on les entraîne avec soi. Mais tout entre en vous et sort de vous, à nouveau éparpillé dans le monde, comme métamorphosé en tourbillon, à toute allure.

C'était également cela béer. Errer. Traverser toutes choses. Circuler librement dans la matière parmi les formes, sans chercher à s'emparer en bourrasque du décor. Glisser sur le monde. Frôler le réel. Le transformer en vibrations intérieures, en rêves, en souvenirs. Se diffuser en lui, s'y perdre, se laisser emporter, en subir l'épuisante, l'euphorique contagion.

Ce fut en cette ultime course, quand le plein éclaté des choses, sous la lumière, et cette immense matière indéfiniment croissant autour de moi allaient m'entraîner vers un peu plus de sens que j'atteignis la gare.

C'était l'heure. On s'agitait beaucoup autour de cette petite station. J'hésitai avant d'en franchir le seuil, comme si mon destin s'y décidait.

Lorsque j'entrai, des coups de feu retentirent ! Je sursautai violemment et restai interdit. Je ne m'attendais pas à un tel accueil ! J'eus le réflexe stupide de protéger mon tournesol en essayant de le cacher derrière moi. Mais il dépassait ma tête.

Je compris vite tout cependant : ce bruit provenait d'un téléviseur qu'un employé des chemins de fer cravaté avait installé sur son pupitre. Cette scène me rappela les terribles films de guerre, source de tant de cauchemars pour moi, et que j'avais vus naguère avec ma mère.

Je fis la queue pour payer mon passage. Je cherchai une appellation : il fallait bien une destination. J'avais oublié la mienne. Mais elle me revint à l'esprit à temps.

Il n'y avait plus de banc libre dans la salle. Tant les gens voyagent. Ou tant les gens aiment attendre dans les gares. Je me sentais égaré dans ce lieu. Il y avait là beaucoup trop de monde pour un endroit aussi exigu. On pouvait croire que tout un village s'y était donné rendez-vous. Y régnait, en sourdine, une étrange atmosphère de brouhaha panique et de désertion : pour de mystérieuses raisons, toutes ces personnes semblaient vouloir partir rapidement, comme s'il y avait quelque catastrophe énigmatique.

Pour ma part, calme et résigné, je cherchai de l'oeil un mur où m'appuyer, mais tout était occupé par des voyageurs debout. Je finis par m'accroupir au beau milieu de la place, posai mon sac et mon encombrant tournesol sur mes genoux, pris ma tête dans mes mains et me perdis dans mes pensées.

La gare devint alors un espace éminemment sonore. Sur fond de rumeur humaine, des bruits de talons percutaient les tuiles : de toutes leurs diverses manifestations (claquement martial, piaffement, glissement, bruissement...) je retenais les coups pointus qui me rappelaient les excitantes chaussures de ma mère quand j'étais enfant, mais aussi sa pauvre canne des dernières années. Des éternuements ponctuels, et des toux, et des rires, et des cris ; et des voix féminines papotant ; et les odeurs du dehors mêlées à celle du café ; tout cela s'ajoutait à mon sang qui battait contre mes tempes pour recomposer tout un climat familial perdu.

J'aurais aimé sortir un peu pour pleurer de nostalgie. Mais le plancher, moite sous la chaleur, me paraissait trop glissant. J'avais peur de tomber sans connaissance. Valait mieux ne pas bouger.

Quand je relevai les yeux, les gens tout autour me dévisageaient. D'aucuns fixaient mon regard illuminé, comme s'ils le suspectaient de péril. D'autres scrutaient mes vêtements négligés, comme s'ils ne convenaient pas à ce départ. Et surtout, mon fabuleux tournesol accaparait l'attention, il faut bien le dire !

Je m'affolais de voir tous ces millions de secondes qui me constituaient s'étaler ainsi sous des examens aussi risqués. Un milliard de battements de coeur, de petites convulsions, de persévérants tortillements, d'infatigables soubresauts pour en arriver là, à moi, vertébré du genre mammifère anthropoïde, monture d'os et de viande, composé d'eau et de polymères carbonés, assis bêtement sur mes talons, comme un foetus, avec ma mère-tournesol, dans un hall de gare, devant ces pans d'yeux étrangers à mon chagrin.

Je m'apprêtais à faire une promenade dehors, coûte que coûte, quand une place se libéra sur un banc, tout près de moi. Je n'en revenais pas. Je m'y précipitai avec mon sac et ma compagne végétale. Au même moment, une jeune femme accourut, les bras chargés de jambes : elle portait un petit chien, avec des colis à moitié emballés et, en plus, une valise. Mais elle arrivait une seconde trop tard : j'étais déjà installé. La jeune dame resta debout devant moi, en silence, me fixant droit dans les yeux. Elle voulait peut-être me donner une leçon de politesse ou m'humilier ou me séduire ou me faire comprendre de compatir à son sort. Les voisins me toisaient avec un air désapprobateur. Pourquoi moi, leur dis-je ? Je venais à peine d'arriver. Et les autres ? Tous ceux qui se reposaient à côté depuis plus longtemps ? Mais la pauvre femme est tellement encombrée, me dit-on, ne le voyez-vous pas ? Et moi ? répliquai-je : je n'ai plus vingt ans et j'ai ma mère ! Cet argument affectif était sorti tout seul. Personne ne m'a compris bien sûr. De toute évidence, on ne sympathisait pas avec moi. Un instant, j'eus l'envie de céder et de m'attendrir. Cependant, je n'en fis rien : je croisai les mains sur mon tournesol, fermai les paupières et respirai d'aise. Je dus somnoler un peu pour échapper aux agressions des autres.

Soudain, le train arriva.

Sans qu'on pût l'entendre venir au loin. C'était bizarre.

Brusquement, la salle se vida. Tout un mouvement massif de couleurs et de lignes s'exécuta en désordre vers l'embarcadère. Les voyageurs avaient rassemblé leurs bagages à une vitesse surprenante.

Dehors, autre élément imprévisible, il commençait à pleuvoir. Température des départs. On eût dit l'aurore de la nuit tant le ciel détirait du noir. Pourtant le jour continuait. De toute façon, la lumière ne meurt jamais, on devrait le savoir. Mais je croyais y lire le signe triste d'une mort. J'arriverais trop tard et m'en culpabiliserais toute ma vie.

Au quai, on attendit encore.

Longtemps.

Interminablement.

Les voyageurs, sur la pointe des pieds, étiraient le cou pour comprendre, et comme aucune explication n'affleurait, ils s'irritaient de plus en plus. En moi, l'inquiétude montait : mon tournesol commençait à flétrir.

D'un coup, l'attente cessa. Tous montaient dans le train avec acharnement. Il aurait fallu les retenir par la chemise et les prier de se calmer. Mais ils avaient hâte. Ils avaient hâte d'attendre. Ils avaient hâte d'attendre dans leurs wagons.

Dans la confusion de l'embarquement, certaines vibrations d'air en provenance d'une gorge atteignirent mon oreille : quelqu'un, juste à côté, s'adressait à moi. J'ai mis un long temps, car la lenteur souvent me caractérise, à me rendre compte qu'on me parlait. Quelqu'un voulait exister pour moi. Et pourtant les mots passaient en arc au-dessus de ma tête. C'était une voix féminine. Je crus entendre ma mère. Ma grande fleur se mettait-elle à parler ? Je le pensai presque, jusqu'au moment où mes yeux rencontrèrent le corps de mon interlocutrice. Je reconnus la jeune femme que j'avais bravée quelques minutes plus tôt sur le banc.

Du coup, je regrettai mon impolitesse tant les mots lumineux, d'une irisation douce, prononcés par cette bouche irréelle, empruntaient la couleur de ses yeux. Elle me demanda dans quelle direction j'allais. « Par là », lui répondis-je, en montrant l'ouest. Elle, elle se dirigeait en sens inverse. Il y avait deux trains à quelques minutes d'intervalle et il ne fallait pas se tromper. Celui qui venait d'entrer en gare pointait vers l'est. La jeune femme me le fit remarquer. Tout à ma mélancolie et distrait comme d'habitude, je n'avais pas fait attention et je m'apprêtais aveuglément à y monter, entraîné par la vague humaine. Je la remerciai vivement et lui expliquai que c'eût été de ma part une erreur grave, parce que ma mère se mourait au même moment à l'hôpital : je tenais à être là, je le lui avais promis.

Tout se passait comme si j'avais retrouvé les mots.

« Et ce magnifique tournesol, c'est pour elle justement, balbutiai-je en souriant timidement. C'est sa fleur préférée. »

Je lui offris alors mon aide : je voulus prendre maladroitement son chien et faillis le laisser tomber.

« Prenez un paquet plutôt, fit-elle, vous êtes bien aimable. »

On poussait derrière.

« C'est une femelle ? » lui demandai-je naïvement en m'essayant, du bout d'un doigt, à chatouiller son museau.

« Non, c'est un garçon, précisa la jeune femme, c'est Noble, il s'appelle Noble. Je l'amène en vacances avec moi. »

« Moi, c'est Val », lui dis-je.

« Agatha », répliqua-t-elle.

Je la soutins pour gravir les marches et la suivis dans le wagon jusqu'à sa place. Pendant qu'elle tenait mon tournesol, je rangeai les paquets dans le porte-bagages, recommençai, les disposai autrement, comme si je voulais retarder le moment de la séparation, esquissai un départ, m'assis à côté d'elle un instant en prenant Noble dans mes bras, pour laisser passer quelqu'un. Je rêvai, en un bref éclair soûlant, que je partais vers l'est...

On entendit l'autre train arriver bruyamment en sens inverse. Ma face dut changer. Je me levai en vitesse, saluai Agatha. Elle portait toujours mon tournesol et me le tendit pour me le remettre.

« Cette fleur paraît encore plus belle en votre compagnie, lui dis-je avec beaucoup de gêne, gardez-la, je vous en prie. »

Et je sortis en trébuchant.

Sur le quai, seul, muet et pensif comme toujours, je sifflais tout bas de manière à imiter, eût-on dit, la locomotive qui allait démarrer vers l'est.

Le train roulait déjà lorsque, brusquement, je me mis à courir...

À courir d'une manière irrationnelle après... le sens.

Et je sautai dans le wagon d'Agatha.

En montant, je laissai tomber ma cassette de mon sac : elle fut aussitôt broyée sur les rails.

Table des matières

Dans la collection Prose entière

dirigée par François Hébert

1. Hubert Aquin, BLOCS ERRATIQUES, textes (1948-1977) rassemblés et présentés par René Lapierre, 1977.
2. Thomas Pavel, LE MIROIR PERSAN, nouvelles, 1977.
3. Gabrielle Roy, FRAGILES LUMIÈRES DE LA TERRE, écrits divers (1942-1970), 1978.
4. Robert Marteau, L'OEIL OUVERT, chroniques d'art, 1978.
5. Fernand Ouellette, TU REGARDAIS INTENSÉMENT GENEVIÈVE, roman, 1978.
6. François Hébert, HOLYOKE, roman, 1979.
7. Louis-Philippe Hébert, MANUSCRIT TROUVÉ DANS UNE VALISE, nouvelles, 1979.
8. Gilles Archambault, LES PLAISIRS DE LA MÉLANCOLIE, textes, 1980.
9. Suzanne Robert, LES TROIS SOEURS DE PERSONNE, roman, 1980.
10. Fernand Ouellette, LA MORT VIVE, roman, 1980.
11. Madeleine Monette, LE DOUBLE SUSPECT, roman, 1980.
12. Claude Bouchard, LA MORT APRÈS LA MORT, roman, 1980.
13. Christine Latour, LE MAUVAIS FRÈRE, roman, 1980.
14. Robert Baillie, LA COUVADE, roman, 1980.
15. François Hébert, LE RENDEZ-VOUS, roman, 1980.
16. Pierre Turgeon, LA PREMIÈRE PERSONNE, roman, 1980.
17. François Barcelo, AGÉNOR, AGÉNOR, AGÉNOR ET AGÉNOR, roman, 1981.
18. Hélène Brodeur, CHRONIQUES DU NOUVEL-ONTARIO, La quête d'Alexandre, roman, 1981.
19. Robert Lalonde, LA BELLE ÉPOUVANTE, roman, 1981.
20. Désirée Szucsany, LA PASSE, récit, 1981.
21. Robert Marteau, ENTRE TEMPS, récit, 1981.
22. Gérard Gévry, L'ÉTÉ SANS RETOUR, roman, 1981.
23. Aline Beaudin Beaupré, L'AVENTURE DE BLANCHE MORTI, roman, 1981.

24. Christine Latour, TOUT LE PORTRAIT DE SA MÈRE, roman, 1981.
25. Noël Audet, AH, L'AMOUR L'AMOUR, roman, 1981.
26. Nadine Monfils, LAURA COLOMBE, contes, 1982.
27. Gérard Gévry, L'HOMME SOUS VOS PIEDS, roman, 1982.
28. Gérard Saint-Georges, 1, PLACE DU QUÉBEC, PARIS VIe, roman, 1982.
29. Chrystine Brouillet, CHÈRE VOISINE, roman, 1982.
30. François Schirm, PERSONNE NE VOUDRA SAVOIR TON NOM, récit, 1982.